P9-BUI-219

MOLIÈRE

Le Bourgeois gentilhomme

Présentation, notes et dossier par
CLAIRE JOUBAIRE,
professeur de lettres

Flammarion

**De Molière,
dans la collection « Étonnants Classiques »**

L'Amour médecin, Le Sicilien ou l'Amour peintre
L'Avare
Le Bourgeois gentilhomme
Dom Juan
L'École des femmes
Les Fourberies de Scapin
George Dandin
Le Malade imaginaire
Le Médecin malgré lui
Le Médecin volant. La Jalousie du Barbouillé
Le Misanthrope
Les Précieuses ridicules
Le Tartuffe

© Éditions Flammarion, 2010
© Édition revue, 2013
ISBN : 978-2-0812-9615-2
ISSN : 1269-8822

Création maquette intérieure :
Sarbacane Design.

Numéro d'édition : L.01EHRN000376.C002
Dépôt légal : mars 2013

SOMMAIRE

Le Bourgeois gentilhomme

PRÉSENTATION

Comment Jean-Baptiste Poquelin est devenu Molière

Un choix inattendu

Quand Jean-Baptiste Poquelin voit le jour à Paris, en 1622, rien ne le destine à devenir un homme de théâtre connu et applaudi sous le nom de Molière.

Il naît dans une famille appartenant à la bourgeoisie aisée. En 1631, son père, qui exerce le métier de tapissier, achète la charge de «tapissier ordinaire et valet de chambre du roi», c'est-à-dire qu'il acquiert le droit de décorer les appartements du roi et l'honneur de faire chaque matin le lit du souverain. Deux ans plus tard, cette charge devient héréditaire : elle doit revenir, de droit, à Jean-Baptiste. Le jeune garçon suit des études secondaires dans le prestigieux collège de Clermont (l'actuel lycée Louis-le-Grand), puis effectue des études de droit à l'université d'Orléans.

Toutefois, en 1643, sa rencontre avec Madeleine Béjart modifie le cours de sa vie. Il tombe amoureux de celle-ci, renonce à prendre la succession de son père et décide de monter, avec la jeune femme et ses frères, une troupe de théâtre qu'ils nomment l'«Illustre-Théâtre». L'année suivante, Jean-Baptiste Poquelin choisit son pseudonyme : Molière.

Les débuts difficiles de l'Illustre-Théâtre

La décision de Jean-Baptiste de devenir acteur est audacieuse. L'Église porte un regard sévère sur le théâtre[1], et la profession de comédien est méprisée par la société. Il s'agit aussi d'un métier récent : longtemps le théâtre a été pratiqué uniquement en amateur, dans les collèges ou à la cour.

Quand Molière embrasse sa carrière de comédien, le genre dramatique est néanmoins en vogue : son public est de plus en plus nombreux et compte désormais des femmes. C'est une forme de spectacle appréciée en ville par la bourgeoisie, et à la cour par la noblesse. Les Grands du royaume, c'est-à-dire les aristocrates les plus riches et les plus puissants, se plaisent à devenir mécènes[2]. Mais, avant de pouvoir bénéficier de cette protection, les acteurs doivent faire leurs preuves, partir en tournée sur les routes des provinces, dans des conditions difficiles, pour trouver leur public, ou bien tenter de s'imposer à Paris.

Ainsi, les débuts de l'Illustre-Théâtre sont chaotiques. À Paris, la petite troupe doit faire face à la concurrence des compagnies installées de longue date dans la capitale : elle accumule les dettes et fait faillite en 1645, deux ans seulement après sa création. Incapable de rembourser l'argent qu'il doit à ses fournisseurs, Molière est envoyé en prison. Il n'y reste que quelques jours mais mettra, dit-on, plus de vingt ans à s'acquitter de ses dettes.

---

1. À l'époque, l'Église considère que le théâtre corrompt les bonnes mœurs et détourne les fidèles de la pratique religieuse.
2. Mécènes : personnes fortunées qui aident les artistes en leur offrant de généreuses subventions.

De la prison au Palais-Royal

Malgré l'échec de cette première expérience, Molière n'abandonne pas la carrière d'acteur. En compagnie de Madeleine Béjart, il rejoint la troupe itinérante du comédien Dufresne et part en tournée en province.

Molière, qui excelle dans le jeu comique, prend rapidement la tête de la troupe et écrit ses premières comédies : *L'Étourdi*, qu'il monte à Lyon en 1655, puis *Le Dépit amoureux*, représenté à Béziers l'année suivante. La troupe a du succès et reçoit des subventions de la part de mécènes de plus en plus puissants : en 1653, le prince de Conti – troisième personnage le plus important de la cour, après le roi et son frère – lui accorde sa protection, avant de lui retirer son soutien en 1656, quand il se convertit à une forme intransigeante du catholicisme, qui voit le théâtre d'un très mauvais œil. En quête de nouveaux revenus, la troupe revient à Paris.

À son retour dans la capitale, la troupe est rapidement placée sous la protection de « Monsieur », Philippe d'Orléans, frère du roi. C'est ainsi que Molière obtient le privilège de jouer devant le souverain, en octobre 1658. Il choisit d'interpréter une tragédie de Corneille, *Nicomède*, et une farce de sa composition, *Le Docteur amoureux*. Le roi bâille devant la tragédie mais il rit à la petite farce. Dès lors il offre à la troupe de Molière la scène du théâtre du Petit-Bourbon. Elle la partage avec une troupe de comédiens-italiens, menée par le célèbre Tiberio Fiorilli (1600-1694) – plus connu sous le nom de Scaramouche –, interprètes de la *commedia dell'arte*. C'est au théâtre du Petit-Bourbon que Molière remporte son premier succès, *Les Précieuses ridicules,* en 1659. La troupe monte plusieurs farces écrites par Molière : *Le Médecin volant* (1659), *Sganarelle ou le Cocu imaginaire* et *La Jalousie du*

Barbouillé (1660). En 1661, les deux troupes déménagent dans le prestigieux théâtre du Palais-Royal : Molière est devenu l'un des dramaturges les plus célèbres de France, particulièrement apprécié du roi Louis XIV.

Molière, comédien du roi

L'invention des comédies-ballets

À l'occasion d'une fête qu'il organise en l'honneur du roi, Nicolas Fouquet, le surintendant des Finances de Louis XIV, demande à Molière de créer un spectacle avec le compositeur et chorégraphe Pierre Beauchamps. En août 1661, les deux artistes montent *Les Fâcheux*, une comédie dans laquelle s'insèrent des ballets et des chants : c'est la naissance d'une forme de spectacle inédite, qu'on appelle « comédie-ballet ». Amateur de fête, de théâtre, de musique et de danse, Louis XIV est charmé par le spectacle. Dès l'automne 1663, il invite Molière à Versailles, afin qu'il représente plusieurs pièces, dont *Les Fâcheux*. L'année suivante, en 1664, le roi commande à Molière la création d'une nouvelle comédie-ballet, en collaboration cette fois avec un jeune compositeur italien, Lully. Les deux hommes montent *Le Mariage forcé* : Louis XIV lui-même participe au spectacle en tant que danseur, costumé en espagnol.

Quelques mois plus tard, toujours à la demande du souverain, Molière et Lully collaborent à nouveau pour monter *La Princesse d'Élide*. Ce spectacle constitue une partie des *Plaisirs de l'Île enchantée*, fête somptueuse organisée par Louis XIV en l'honneur de la reine mère et de la reine dans les jardins du château de Versailles. Pendant trois jours, les courtisans participent à cette fête d'une ampleur sans précédent, qui mêle défilé de chevaux (accompagnés d'un ours, d'un chameau et d'un éléphant), courses, ballets, concerts, dîner aux chandelles dans le parc du château, spectacle aquatique et feu d'artifice. Le roi participe au défilé en costume antique. La comédie-ballet de Molière et Lully est présentée le deuxième jour : fait inédit, elle a lieu en plein air, et de nuit. C'est un triomphe, et un véritable tournant dans la carrière de Molière.

Le triomphe à la cour et à la ville

Entre 1664 et 1671, Molière et Lully créent ensemble onze comédies-ballets. Ils montent un spectacle, parfois deux, presque chaque année : après *Le Mariage forcé* et *La Princesse d'Élide* en 1664, ils collaborent pour *L'Amour médecin* en 1665, puis *La Pastorale comique* et *Le Sicilien ou l'Amour peintre* en 1667, *George Dandin* en 1668, *Monsieur de Pourceaugnac* en 1669, *Les Amants magnifiques* et *Le Bourgeois gentilhomme* en 1670, enfin *La Comtesse d'Escarbagnas* et *Psyché* en 1671. Ces spectacles sont mis en scène dans les plus beaux châteaux du roi, à Versailles, Saint-Germain-en-Laye ou Chambord, puis ils sont repris dans une version plus simple sur la scène du Palais-Royal, pour le public parisien. Parallèlement à ces collaborations avec Lully, Molière continue à mettre en scène, à la cour (c'est-à-dire devant le roi) et à la ville (dans la salle du Palais-Royal), d'autres spectacles, dont beaucoup remportent un vif succès. Certains cependant provoquent le scandale. C'est le cas du *Tartuffe* – pièce montée en 1664 pour les *Plaisirs de l'Île enchantée* et aussitôt interdite –, et de *Dom Juan* – pièce créée l'année suivante :

les deux œuvres sont de violentes attaques contre l'hypocrisie religieuse.

Pendant cette période, Louis XIV multiplie les signes d'amitié à l'égard de Molière. En 1664, le monarque accepte d'être le parrain du fils aîné du dramaturge, qui sera prénommé Louis. En 1665, il accorde à la troupe de Molière le titre de « troupe du Roi » et une pension de sept mille livres. En février 1670, il lui confie l'organisation des divertissements royaux de Saint-Germain-en Laye, puis rappelle la troupe à Chambord au mois d'octobre pour monter une nouvelle comédie-ballet : *Le Bourgeois gentilhomme*. C'est un nouveau triomphe, et le roi augmente la pension allouée à Molière et sa troupe.

Le temps des ruptures

Le statut privilégié de Molière, ainsi que ses pièces dans lesquelles il n'hésite pas à attaquer les hommes les plus puissants du royaume, lui attirent de solides rancunes. Ses ennemis lui reprochent son immoralité, dans ses comédies comme dans sa vie privée : quand il épouse Armande Béjart, la sœur cadette de Madeleine, certains n'hésitent pas à affirmer qu'il s'agit en réalité de la fille de Madeleine, voire de la propre fille de Molière. Ses adversaires ont de plus en plus d'influence et Molière perd peu à peu la faveur du roi. En outre, en 1671, une dispute met fin à sa collaboration avec Lully.

Molière, qui lutte depuis de longues années contre la maladie, continue cependant à mettre en scène et à jouer ses spectacles. En 1673, il monte *Le Malade imaginaire*, sa dernière comédie-ballet, dont la musique est composée cette fois par Marc-Antoine Charpentier. Elle n'est pas représentée à la cour, mais au théâtre du Palais-Royal. Il meurt un soir de février, quelques heures après avoir interprété sur scène le rôle-titre de la comédie. Le prêtre arrive trop tard pour lui faire abjurer sa profession de comédien, condition indispensable pour être enterré religieusement. Cependant, grâce à l'intervention de Louis XIV, Molière est inhumé au cimetière Saint-Joseph, près des Halles, au cours d'une cérémonie nocturne. Après sa mort, ses spectacles sont repris, avec beaucoup de succès, aussi bien à la cour qu'à Paris.

Aux sources de la comédie-ballet

La comédie-ballet est un genre composite, qui mêle de manière originale des éléments issus de spectacles très différents : tout oppose, *a priori*, la tradition populaire de la farce, la fantaisie de la *commedia dell'arte* et les ballets sophistiqués que l'on donne dans les palais du roi. C'est pourtant en osant lier ces trois genres que Molière a inventé l'une des formes dramatiques les plus appréciées de son temps.

La farce

La farce est une forme de théâtre comique qui remonte au Moyen Âge. Dans son enfance, Molière a pu assister à ces spectacles populaires : dans les foires, le public est nombreux à apprécier ces comédies, et il arrive que des « opérateurs » (médecins autodidactes qui proposent leurs services à peu de frais) engagent des comédiens pour attirer la foule devant leur échoppe. Les farces sont des pièces courtes qui mettent en scène des personnages issus du peuple, s'exprimant dans un langage familier et frisant la caricature : l'amant rusé, la femme infidèle et le mari cocu font rire le public. Les comédiens n'hésitent pas à recourir à un humour grossier, voire obscène. Le comique s'appuie en grande partie sur le jeu des acteurs : gestes endiablés, imitations des accents les plus divers, mimiques expressives, etc.

Au XVIIᵉ siècle, les farces étaient également jouées dans de vrais théâtres, mais le plus souvent en première partie d'une tragédie. Elles offrent à Molière ses premiers succès : *Sganarelle ou le Cocu imaginaire* et *La Jalousie du Barbouillé* (1660).

La *commedia dell'arte*

Commedia dell'arte signifie en français « théâtre de profession- nels ». L'expression désigne une forme théâtrale pratiquée par les premières troupes professionnelles de comédiens italiens entre le milieu du XVIᵉ siècle et la fin du XVIIIᵉ siècle, et qui a provoqué une véritable révolution dans le monde du théâtre. Les spectacles de la *commedia dell'arte* mettent toujours en scène les mêmes personnages, reconnaissables à leur costume et à leur masque : des valets rusés (comme Arlequin), des vieillards avares (comme Pantalon) ou vaniteux (Il Dottore, le « docteur » en italien), des jeunes gens de bonne famille empêchés par leur père d'épouser celles qu'ils aiment... Le texte des pièces n'est pas écrit : un simple canevas, préparé par le chef de troupe, résume les étapes impor- tantes de l'intrigue et les principaux gags (*lazzi*). Le spectacle est créé rapidement au cours des répétitions par les comédiens de la troupe qui privilégient un jeu « naturel », moins codifié que celui des comédiens français de la même époque.

En France, la *commedia dell'arte* apparaît à la fin du XVIᵉ siècle, grâce à des troupes itinérantes qui proposent leurs spectacles en province et à Paris. Au cours des années 1640 et 1650, elle rencontre un succès croissant dans la capitale qui accueille une troupe italienne à partir de 1653 au théâtre du Petit-Bourbon. Le chef de troupe, Scaramouche, au célèbre costume noir, devient une véritable star.

Molière s'inspire régulièrement de la comédie italienne dans ses spectacles : dans *Le Bourgeois gentilhomme*, le personnage de Covielle, le valet astucieux, trouve son origine dans le *zanni*[1] italien, Covielo. En outre, parmi les danseurs du *Ballet des nations* qui clôt le spectacle, on retrouve «deux Scaramouches, deux Trivelins et un Arlequin», c'est-à-dire des danseurs revêtus des costumes typiques des comédiens de la *commedia dell'arte*.

Les ballets de cour et le théâtre en musique

Louis XIV a le goût des spectacles, qui lui permettent de se mettre en scène en monarque tout-puissant, et il apprécie particulièrement la musique et la danse. Cette dernière occupe une place très importante à la cour du Roi-Soleil, dont elle contribue à fonder le mythe. Le souverain finance de nombreux et magnifiques ballets de cour, par exemple *Les Fêtes de Bacchus* en 1651 et *L'Amour malade* en 1657. Ces spectacles auxquels participe la noblesse mêlent danses et chants, parfois accompagnés de courts dialogues. Sans constituer une intrigue, les différents tableaux sont liés entre eux par un thème.

Avant de composer ses comédies-ballets, Molière a assisté à de nombreux ballets de cour, et il a conçu le ballet des *Incompatibles*, dansé à Montpellier en 1655 devant le prince et la princesse de Conti. *Le Bourgeois gentilhomme* se clôt sur le *Ballet des nations*, qui peut être considéré comme un véritable ballet de cour.

---

1. *Zanni*, diminutif de *Giovanni*, est le nom italien qui désigne le rôle du valet rusé.

Si elle emprunte à ce genre, la comédie-ballet s'inspire aussi des mises en scène spectaculaires à la mode dans les années 1660 : les courtisans ont l'habitude d'assister à des tragédies mythologiques à machines (c'est-à-dire avec des effets spéciaux). La tragédie *Médée*, écrite par Corneille en 1635, se clôt ainsi par l'envol de la magicienne. Peu à peu, au cours des années 1650, sous l'influence de l'opéra italien, théâtre et musique se mêlent. On peut assister à la cour à de nombreuses pastorales chantées, pièces qui mettent en scène les amours de bergers et de bergères, reprenant ainsi un thème littéraire datant de l'Antiquité. Cette mode explique la réaction du héros du *Bourgeois gentilhomme* (acte I, scène 2) : « Pourquoi toujours des bergers ? On ne voit que cela partout. » Certaines tragédies sont également accompagnées de musique, comme *Andromède* de Corneille, montée en 1650 en collaboration avec le musicien d'Assoucy, malgré les réticences exprimées par le dramaturge envers la musique. Molière monte cette pièce avec sa troupe trois ans plus tard, à Lyon. Renouant avec la tradition antique, théâtre et musique y sont combinés, mais les passages musicaux sont indépendants de l'intrigue.

En inventant la comédie-ballet, Molière s'inscrit dans une tradition qu'il renouvelle profondément.

Le Bourgeois gentilhomme

Une « turquerie » commandée par le roi

D'après les Mémoires du chevalier d'Arvieux, ambassadeur du roi auprès de l'Empire ottoman, quand Louis XIV fait venir la troupe de Molière à Chambord en octobre 1670, il lui commande explicitement une «turquerie», c'est-à-dire une pièce qui mette en scène des Turcs. Il veut se venger de l'affront qu'il a essuyé de la part d'un envoyé du Grand Turc – le souverain du puissant Empire ottoman. En effet, en novembre 1669, Soleman Aga, un ambassadeur du sultan, a été reçu par Louis XIV au château de Saint-Germain-en-Laye. Mais alors que la rencontre avait été préparée avec soin par le roi de France comme une somptueuse cérémonie à la turque, l'envoyé du sultan ne sembla manifester que dédain et indifférence pour cet égard. Au-delà de cette anecdote, il n'est pas étonnant que, en octobre 1670, le souverain ait souhaité voir une «turquerie», car le genre était alors particulièrement à la mode.

Pour répondre à la demande du roi, Molière invente une comédie mettant en scène, non pas de véritables Turcs, mais des personnages jouant des Turcs afin de duper le protagoniste principal de la pièce, M. Jourdain.

L'apothéose de la comédie-ballet

La commande reçue par Molière spécifie également qu'il doit collaborer avec le musicien Lully afin de créer une comédie-ballet – genre que le dramaturge a lui-même inventé, et dans lequel il excelle. *Le Bourgeois gentilhomme* constitue la neuvième collaboration des deux artistes, qui sont alors au sommet de leur art. Dans cette «comédie mêlée de musiques et de danses», prend place, entre chaque acte, un intermède chanté et dansé ou dansé seulement et, à la fin de la pièce, un ballet; en outre, la musique et la danse interviennent également au sein même des scènes de comédie, en particulier dans le premier acte. En effet, l'intrigue et les passages musicaux entretiennent un lien étroit: le spectacle s'ouvre sur les cours de musique et de chant de M. Jourdain

– soucieux de recevoir l'éducation d'un noble –, qui sont une manière d'introduire naturellement des scènes chantées et dansées dans la comédie.

La satire d'un bourgeois ridicule

Molière est resté célèbre pour avoir réhabilité la comédie à la cour en accordant une fonction noble au rire, celle de corriger les mœurs des hommes : « Le devoir de la comédie étant de corriger les hommes en les divertissant, j'ai cru que, dans l'emploi où je me trouve, je n'avais rien de mieux à faire que d'attaquer par des peintures ridicules les vices du siècle », affirme-t-il dans le *Premier placet au roi sur la comédie du Tartuffe* (1664). Dans *Le Bourgeois gentilhomme*, il dénonce les ridicules de la bourgeoisie telle qu'elle est représentée par M. Jourdain, dont l'attitude relève moins d'une volonté d'ascension sociale que de ce que, aujourd'hui, on nommerait « snobisme » – volonté, pour un individu, de se distinguer de la catégorie sociale à laquelle il ressortit en adoptant le comportement d'une classe qui lui est supérieure, en l'occurrence l'aristocratie.

Ainsi, le titre de la pièce met l'accent sur le statut social du personnage. M. Jourdain est un « bourgeois », qui appartient plus particulièrement à la bourgeoisie marchande, puisque son père était commerçant. Bien avant de trouver une expression dans la recherche d'anoblissement de sa fille par un beau mariage, le désir de M. Jourdain de devenir « gentilhomme » (noble) se traduit par ses tentatives d'adoption du mode de vie de l'aristocratie. Il veut recevoir à l'âge adulte l'éducation donnée dès son plus jeune âge à l'homme de bonne famille : cours de danse (pour participer aux nombreux ballets organisés par les Grands du royaume), de chant, d'armes (l'épée est l'attribut traditionnel de la noblesse) et de philosophie. Face à ses maîtres, le vieil élève se montre plutôt maladroit et particulièrement naïf : bien qu'il possède la richesse des «gens de qualité», c'est-à-dire des nobles, il ne parvient pas à imiter leur élégance très travaillée, mais dont toute la valeur réside dans l'apparence de naturel.

La naïveté du personnage permet d'introduire la «turquerie», chère à Louis XIV : quand, pour le tromper, on annonce à M. Jourdain que le fils du «Grand Turc» a décidé d'épouser sa fille et de le hisser au rang de «*mamamouchi*», celui-ci, aveuglé par la promesse d'un titre de noblesse, se laisse tromper très facilement. C'est surtout quand M. Jourdain se confronte à deux nobles authentiques, Dorante et Dorimène, qu'éclate la différence entre le «bourgeois gentilhomme» et les jeunes aristocrates : voulant jouer à l'honnête homme[1], l'innocent bourgeois multiplie les maladresses et les balourdises qui font rire non seulement, sur scène, les personnages de la pièce, mais également, dans la salle, les spectateurs – rappelons que les premiers à voir la comédie étaient justement les «gens de qualité» invités au spectacle par Louis XIV, qui maniaient parfaitement tous les arts que M. Jourdain tente laborieusement d'apprendre. À travers le portrait de ce personnage grotesque, Molière fait donc la satire de ceux qui se ridiculisent en tentant de passer pour ce qu'ils ne sont pas.

---

1. *Honnête homme* : homme distingué, qui maîtrise l'art de plaire, tant par ses manières que par son esprit.

Les 2 Zanni :
valets

ARLEQUIN (Bergame)
- masque noir avec verrue sur le front
- ingénu
- à l'origine : vêtements rapiécés
- puis losanges de couleurs variées
- affamé de tout
- glouton
- paillard
- paysan "immigré"
- clochard
- chômeur
- cherche à travailler

BRIGHELLA (Bergame)
- masque olivâtre nez crochu
- chômeur professionnel
- débrouillard
- intrigant
- cynique
- costume blanc
- bandes d'étoffe verte
- aime bafouer les vieillards amoureux
- voler un avare
- rosser un créancier

Les 2 vieillards :
se détestent
Sots libidineux

PANTALON (Venise)
- habillé en rouge et noir
- barbe en pointe
- courte veste rouge
- manteau noir
- longs caleçons (à sous pieds) rouges = préfiguration du pantalon
- commerçant "retiré des affaires"
- avare
- libertin
- trompé et par sa femme et par ses enfants

LE DOCTEUR (Bologne)
- seuls front et nez sont "masqués" (nez noir)
- large fraise molle
- tout en noir fraise blanche
- pédant ignare
- philosophe juriste
- très accessoirement médecin

Les 2 amoureux :
pas de costume fixe : la dernière mode

Par exemple : CYNTHIO
- maniéré, élégant
- en général : non masqué
- un peu ridicule
- Autres noms : FLAVIO OTTAVIO SILVIO LÉANDRE FEDERIGO LELIO
- le comédien doit être cultivé, distingué : il est donc souvent le chef de la troupe

Par exemple : ISABELLE
- ni femme mariée ni jeune fille ni courtisane ni une pauvre fois
- tendre ou perfide
- en général, la sincérité de ses sentiments excuse ses mœurs faciles
- Autres noms : GINEVRA AURÉLIA BÉATRICE ROSALINDE

■ Composition d'une troupe de *commedia dell'arte*. André Degaine, *Histoire du théâtre dessiné*, Librairie A.-G. Nizet, 1992.

La Soubrette

servante délurée

mène à bien les intrigues de sa maîtresse et les s.ennes

parfois courtisane ou entremetteuse

Autres noms :

ZERBINETTE
FRANCISQUINA
FIORINA
DINA

Par exemple : COLOMBINE

Le Capitan

costume de l' "occupant espagnol"

bellâtre ridicule et dupé

soldat fanfaron qui a peur de son ombre

Autres noms :

CORCODRILLO
ZERBINO
RINOCERONTE
FRACASSE
TAILLEBRAS
BOUDOUFLE

Par exemple : MATAMORE

Autres Zanni :

Costume blanc

allure légère et dansante

"piaule" comme une volaille

« la bosse pleine d'esprit »

en général "Vieux garçon" égoïste, sensuel, voire Vicieux

il a le sens du ridicule

POLICHINELLE (Naples)

costume blanc

jeune, beau, honnête

candide

pas toujours masqué

il peut jouer les "amoureux" mais seulement avec les servantes...

joue des tours aux vieillards mais "poussé" par Brighella ou Polichinelle

PEDROLINO ou PIERRO

gnome aux vêtements rapiécés

FRANCA-TRIPA

bravache mais très poltron

chanteur et musicien

ZANY CORNETO

■ Théâtre sur lequel fut représentée la comédie-ballet *La Princesse d'Élide*, lors des *Plaisirs de l'île enchantée*, à Versailles (1664). Gravure d'Israël Silvestre.

CHRONOLOGIE

◼ **Repères historiques et culturels**

◼ **Vie et œuvre de l'auteur**

Repères historiques et culturels

1610	Assassinat d'Henri IV. Louis XIII n'a que neuf ans : sa mère, Marie de Médicis, assure la régence.
1617	Début du règne personnel de Louis XIII.
1624	Richelieu devient chef du Conseil du roi.
1629	Succès de *Mélite*, comédie de Corneille.
1634-1639	Richelieu fait construire le futur Palais-Royal.
1635	Corneille, *Médée* (première tragédie de l'auteur). Dans la dernière scène, la magicienne s'envole grâce aux machines du décor.
1636	Corneille, *L'Illusion comique* (la comédie connaît le succès) et *Le Cid* (la tragi-comédie remporte un triomphe), au théâtre du Marais.
1638	Naissance du futur Louis XIV, fils de Louis XIII et de la reine Anne d'Autriche.
1639	Naissance de Racine.
1640	Arrivée à Paris de Tiberio Fiorilli, dit Scaramouche, et de sa troupe de comédiens italiens.
1642	Mort de Richelieu ; Mazarin devient Premier ministre. Création de la congrégation de Saint-Sulpice, hostile au théâtre et qui combattra Molière.
1643	Mort de Louis XIII. Début du règne de Louis XIV, qui n'a que cinq ans. Sa mère, Anne d'Autriche, assure la régence, secondée par Mazarin.
1644	Un incendie détruit la salle du théâtre du Marais. Ouverture, quelques mois plus tard, d'une nouvelle salle, dotée de machines.

Vie et œuvre de l'auteur

1622 Naissance à Paris de Jean-Baptiste Poquelin.

1631 Son père achète la charge de «tapissier et valet de chambre ordinaire du roi».

1633- Jean-Baptiste effectue sa scolarité au collège
1639 de Clermont (l'actuel lycée Louis-le-Grand).

1637 Il s'engage à reprendre la charge de son père, devenue héréditaire.

1640 Il fait des études de droit à Orléans.

1642 Il abandonne la carrière d'avocat.

1643 Il renonce à la charge de «tapissier et valet de chambre ordinaire du roi». Il fonde l'Illustre-Théâtre avec les Béjart.

1644 Jean-Baptiste Poquelin prend le nom de Molière.

Repères historiques et culturels

1647	Rossi (pour la musique) et Butti (pour le livret), *Orfeo* (opéra italien).
1648-1652	La Fronde : un certain nombre de parlementaires puis de princes se révoltent contre le pouvoir royal. Mazarin aide le roi à rétablir son autorité.
1650	Corneille, *Andromède* (tragédie).
1653	Une troupe de comédiens italiens s'installe au théâtre du Petit-Bourbon.
1654	Sacre de Louis XIV.
1655	Charles de Beys (pour le texte) et Michel de La Guerre (pour la musique), *Le Triomphe de l'amour sur les bergers et les bergères* (première pièce de théâtre entièrement chantée, représentée au Louvre).

Vie et œuvre de l'auteur

1645 L'aventure de l'Illustre-Théâtre s'achève par une faillite.
Couvert de dettes, Molière est emprisonné au Châtelet.
Un ami intervient aussitôt pour le faire libérer.
Molière et les Béjart rejoignent la troupe itinérante
de Dufresne : début des tournées en province.

1650 La troupe reçoit une pension et Molière devient chef
de troupe.

1653 Molière réalise la mise en scène d'*Andromède*
de Corneille, avec une musique de Charles Copeau
d'Assoucy.
Le prince de Conti accorde sa protection à la troupe.

1655 *L'Étourdi ou les Contretemps* (première comédie écrite
par Molière jouée à Lyon).

1656 *Le Dépit amoureux* (farce jouée à Béziers).

1657 Le prince de Conti retire sa protection à la troupe
de Molière.

1658 Retour de Molière et de sa troupe à Paris. Monsieur,
frère du roi, leur accorde sa protection.
Première représentation devant Louis XIV : *Nicomède*
(tragédie de Pierre Corneille) et *Le Docteur amoureux*
(farce de Molière). La troupe s'installe au théâtre
du Petit-Bourbon.

1659 *Le Médecin volant* (farce) et *Les Précieuses ridicules*
(comédie).

Repères historiques et culturels

1660   Mariage de Louis XIV et de Marie-Thérèse, infante d'Espagne. Destruction du théâtre du Petit-Bourbon.

1661   Mort de Mazarin. Début du règne personnel de Louis XIV. Début de la construction du château de Versailles. Travaux de réhabilitation du théâtre du Palais-Royal.

1662   Création de l'Académie royale de danse.

1663   Louis XIV attribue les premières pensions aux hommes de lettres et fonde l'Académie des inscriptions et belles-lettres.

1664   Du 7 au 9 mai : *Les Plaisirs de l'Île enchantée*, festivités données par le roi au château de Versailles. Racine, *La Thébaïde* (première tragédie de l'auteur).

1665   Racine, *Alexandre le Grand* (tragédie, dédiée à Louis XIV).
Benserade (pour le livret), Lully (pour la musique), *La Naissance de Vénus* (ballet, où Louis XIV apparaît en Alexandre le Grand).

1666   Mort d'Anne d'Autriche. Fondation de l'Académie royale des sciences.

Vie et œuvre de l'auteur

1660   *La Jalousie du Barbouillé* et *Sganarelle ou le Cocu imaginaire* (farces).

1661   Installation au théâtre du Palais-Royal. *Les Fâcheux* (première comédie-ballet jouée à l'occasion d'une fête donnée par Nicolas Fouquet, en présence du roi) et *L'École des maris* (petite comédie qui préfigure *L'École des femmes*, représentée au Palais-Royal).

1662   Molière épouse Armande Béjart, la sœur de Madeleine. Premier séjour de la troupe à la cour.
L'École des femmes (première grande comédie de mœurs) crée un grand débat, pendant plus d'un an.

1663   Molière répond aux vives critiques contre *L'École des femmes* dans deux comédies : *La Critique de l'École des femmes* et *L'Impromptu de Versailles*. Le roi accorde à la troupe une subvention de mille livres par an.

1664   *Le Mariage forcé* (comédie-ballet donnée au palais du Louvre) constitue la première collaboration de Molière avec Lully.
En mai, la troupe participe aux *Plaisirs de l'Île enchantée* ; elle reprend *Le Mariage forcé* et crée *La Princesse d'Élide*, en collaboration avec Lully (comédie-ballet). La pièce *Le Tartuffe* (grande comédie) est interdite.
Louis XIV accepte d'être le parrain du fils de Molière, Louis.

1665   *L'Amour médecin* (comédie-ballet jouée au château de Versailles). La troupe obtient le titre de «troupe du roi» et une pension de sept mille livres.
Dom Juan (grande comédie). La pièce fait scandale ; elle est retirée de l'affiche.

1666   *Le Misanthrope* (grande comédie) et *Le Médecin malgré lui* (farce).

Repères historiques et culturels

**1666-
1667**   Du 2 décembre 1666 au 19 février 1667 : grandes
fêtes au château de Saint-Germain-en-Laye, au cours
desquelles est représenté le *Ballet des Muses*, imaginé
par Benserade.

1667   Racine, *Andromaque* (tragédie).

1668   La Fontaine, *Fables* (parution des six premiers livres).
Racine, *Les Plaideurs* (comédie).
Au château de Versailles, le *Grand Divertissement royal*
célèbre la victoire du roi en Flandres.

1669   Fondation de la première Académie royale de musique.

1672   Louis XIV installe la cour à Versailles.

1673   Quinault (pour le livret) et Lully (pour la musique),
Cadmus et Hermione (première tragédie lyrique
ou «tragédie en musique»).

1674   Les *Divertissements de Versailles* célèbrent la conquête
de la Franche-Comté. On y joue *Le Malade imaginaire*.

Vie et œuvre de l'auteur

1667 *Mélicerte* (comédie pastorale), *Pastorale comique* et *Le Sicilien ou l'Amour peintre*, en collaboration avec Lully (comédies-ballets) ; les pièces sont créées à l'occasion du *Ballet des Muses*, au château de Saint-Germain-en-Laye.

1668 *Amphitryon* (comédie d'intrigue) et *L'Avare* (grande comédie). *George Dandin*, en collaboration avec Lully (comédie-ballet) ; la pièce est créée au château de Versailles dans le cadre du *Grand Divertissement royal*.

1669 Autorisation de jouer *Le Tartuffe*. La pièce rencontre un grand succès.
Monsieur de Pourceaugnac (comédie-ballet), en collaboration avec Lully ; la pièce est représentée au château de Chambord.

1670 *Les Amants magnifiques* et *Le Bourgeois gentilhomme*, en collaboration avec Lully (comédies-ballets). La première pièce est jouée au château de Saint-Germain-en-Laye, la seconde au château de Chambord.

1671 *Psyché*, en collaboration avec Lully (tragédie-ballet à grand spectacle représentée aux Tuileries) et *Les Fourberies de Scapin* (comédie créée au théâtre du Palais-Royal). *La Comtesse d'Escarbagnas*, en collaboration avec Lully (comédie-ballet donnée au château de Saint-Germain-en-Laye).
Mort de Madeleine Béjart.
Une dispute met fin à la collaboration de Molière et de Lully.

1672 *Les Femmes savantes* (grande comédie).

1673 *Le Malade imaginaire*, avec une musique de Marc Antoine Charpentier (comédie-ballet).
Mort de Molière.

■ La cérémonie turque (intermède de l'acte IV) dans la mise en scène de Benjamin Lazar, en 2004, avec Olivier Martin dans le rôle de M. Jourdain (reprise de la version originale jouée à Chambord par Lully et Molière). Voir dossier de l'édition p. 184).

Le Bourgeois gentilhomme

Comédie-ballet
faite à Chambord, pour le divertissement du roi,
au mois d'octobre 1670,
et représentée en public, à Paris,
pour la première fois, sur le théâtre du Palais-Royal,
le 23 novembre 1670
par la troupe du Roi.

Personnages

M. JOURDAIN, bourgeois.

MME JOURDAIN, sa femme.

LUCILE, fille de M. Jourdain.

NICOLE, servante.

CLÉONTE, amoureux de Lucile.

COVIELLE, valet de Cléonte.

DORANTE, comte, amant[1] de Dorimène.

DORIMÈNE, marquise.

MAÎTRE DE MUSIQUE

ÉLÈVE DU MAÎTRE DE MUSIQUE

MAÎTRE À DANSER

MAÎTRE D'ARMES

MAÎTRE DE PHILOSOPHIE

MAÎTRE TAILLEUR

GARÇON TAILLEUR

DEUX LAQUAIS[2]

Plusieurs musiciens, musiciennes, joueurs d'instruments, danseurs, cuisiniers, garçons tailleurs, et autres personnages des intermèdes et du ballet.

La scène est à Paris.

---

1. *Amant* : celui qui aime et qui est aimé de retour.
2. *Laquais* : valets.

L'ouverture[1] *se fait par un grand assemblage d'instruments; et dans le milieu du théâtre on voit un élève du Maître de musique, qui compose*[2] *sur une table un air que le Bourgeois a demandé pour une sérénade*[3].

Acte premier

Scène première

MAÎTRE DE MUSIQUE, MAÎTRE À DANSER, TROIS MUSICIENS,
DEUX VIOLONS, QUATRE DANSEURS

MAÎTRE DE MUSIQUE, *parlant à ses musiciens.* – Venez, entrez dans cette salle, et vous reposez là, en attendant qu'il[4] vienne.

MAÎTRE À DANSER, *parlant aux danseurs.* – Et vous aussi, de ce
5   côté.

MAÎTRE DE MUSIQUE, *à l'élève.* – Est-ce fait?

L'ÉLÈVE. – Oui.

MAÎTRE DE MUSIQUE. – Voyons… Voilà qui est bien.

---

1. *Ouverture* : morceau de musique par lequel commence le spectacle.
2. Les spectateurs voient l'élève en train de chanter la mélodie, de la reprendre, de raturer sa partition… D'après Charles Mazouer, dans *Molière et ses comédies-ballets* (Honoré Champion, 2006), l'élève commettait des fautes musicales, que le public de l'époque pouvait relever, ce qui rendait la scène amusante.
3. *Sérénade* : concert destiné à être donné la nuit, sous les fenêtres de la dame aimée.
4. *Il* : désigne M. Jourdain.

MAÎTRE À DANSER. – Est-ce quelque chose de nouveau ?

10 MAÎTRE DE MUSIQUE. – Oui, c'est un air pour une sérénade, que je lui[1] ai fait composer ici, en attendant que notre homme fût éveillé.

MAÎTRE À DANSER. – Peut-on voir ce que c'est ?

MAÎTRE DE MUSIQUE. – Vous l'allez entendre, avec le dialo-
15 gue[2], quand il viendra. Il ne tardera guère.

MAÎTRE À DANSER. – Nos occupations, à vous et à moi, ne sont pas petites maintenant.

MAÎTRE DE MUSIQUE. – Il est vrai. Nous avons trouvé ici un homme comme il nous le faut à tous deux ; ce nous est
20 une douce rente[3] que ce M. Jourdain, avec les visions[4] de noblesse et de galanterie[5] qu'il est allé se mettre en tête ; et votre danse et ma musique auraient à souhaiter que tout le monde lui ressemblât.

MAÎTRE À DANSER. – Non pas entièrement ; et je voudrais
25 pour lui qu'il se connût mieux qu'il ne fait aux choses que nous lui donnons[6].

MAÎTRE DE MUSIQUE. – Il est vrai qu'il les connaît mal, mais il les paye bien ; et c'est de quoi maintenant nos arts ont plus besoin que de toute autre chose.

30 MAÎTRE À DANSER. – Pour moi, je vous l'avoue, je me repais[7] un

---

1. *Lui* : désigne l'élève, qui est en train de composer la sérénade.
2. *Dialogue* : œuvre musicale pour deux ou plusieurs voix accompagnées d'instruments qui se répondent alternativement.
3. *Rente* : rentrée d'argent régulière.
4. *Visions* : idées folles.
5. *Galanterie* : élégance, raffinement.
6. *Qu'il se connût mieux* [...] *nous lui donnons* : qu'il eût une meilleure
connaissance, que celle qu'il a réellement, des arts que nous lui ensei-
gnons.
7. *Me repais* : me nourris, me délecte.

peu de gloire[1] ; les applaudissements me touchent ; et je tiens que, dans tous les beaux-arts, c'est un supplice assez fâcheux que de se produire[2] à des sots, que d'essuyer[3] sur des compositions la barbarie[4] d'un stupide. Il y a plaisir,

35 ne m'en parlez point[5], à travailler pour des personnes qui soient capables de sentir les délicatesses d'un art, qui sachent faire un doux accueil aux beautés d'un ouvrage, et par de chatouillantes[6] approbations vous régaler[7] de votre travail. Oui, la récompense la plus agréable qu'on

40 puisse recevoir des choses que l'on fait, c'est de les voir connues, de les voir caressées[8] d'un applaudissement qui vous honore. Il n'y a rien, à mon avis, qui nous paye mieux que cela de toutes nos fatigues ; et ce sont des douceurs exquises que des louanges éclairées[9].

45 MAÎTRE DE MUSIQUE. – J'en demeure d'accord, et je les goûte comme vous. Il n'y a rien assurément qui chatouille[10] davantage que les applaudissements que vous dites. Mais cet encens[11] ne fait pas vivre ; des louanges toutes pures ne mettent point un homme à son aise : il y faut

50 mêler du solide ; et la meilleure façon de louer, c'est de

---

1. *Gloire* : ici, honneurs.
2. *Se produire* : présenter son travail.
3. *D'essuyer* : de supporter.
4. *Barbarie* : grossièreté.
5. *Ne m'en parlez point* : cela va sans dire.
6. *Chatouillantes* : agréables.
7. *Régaler* : récompenser.
8. *Caressées* : flattées.
9. *Louanges éclairées* : compliments faits par des gens dont le jugement s'appuie sur des connaissances.
10. *Chatouille* : fait plaisir.
11. *Encens* : flatterie.

louer avec les mains[1]. C'est un homme, à la vérité, dont les lumières[2] sont petites, qui parle à tort et à travers de toutes choses, et n'applaudit qu'à contre-sens ; mais son argent redresse les jugements de son esprit ; il a du discernement dans sa bourse ; ses louanges sont monnayées ; et ce bourgeois ignorant nous vaut mieux, comme vous voyez, que le grand seigneur éclairé[3] qui nous a introduits ici.

MAÎTRE À DANSER. – Il y a quelque chose de vrai dans ce que vous dites ; mais je trouve que vous appuyez un peu trop sur l'argent ; et l'intérêt est quelque chose de si bas qu'il ne faut jamais qu'un honnête homme[4] montre pour lui de l'attachement.

MAÎTRE DE MUSIQUE. – Vous recevez fort bien pourtant l'argent que notre homme vous donne.

MAÎTRE À DANSER. – Assurément ; mais je n'en fais pas tout mon bonheur, et je voudrais qu'avec son bien il eût encore quelque bon goût des choses.

MAÎTRE DE MUSIQUE. – Je le voudrais aussi, et c'est à quoi nous travaillons tous deux autant que nous pouvons. Mais, en tout cas, il nous donne moyen de nous faire connaître dans le monde ; et il payera pour les autres ce que les autres loueront pour lui.

MAÎTRE À DANSER. – Le voilà qui vient.

—————————

1. *Louer avec les mains* : ici, en donnant de l'argent, et non en applaudissant.
2. *Lumières* : connaissances.
3. Il s'agit de Dorante.
4. *Honnête homme* : homme distingué, qui maîtrise l'art de plaire, tant par ses manières que par son esprit.

Scène 2

M. Jourdain, deux laquais, Maître de musique,
Maître à danser, violons, musiciens et danseurs

75 M. Jourdain. – Hé bien, Messieurs ? qu'est-ce ? Me ferez-vous voir votre petite drôlerie[1] ?

Maître à danser. – Comment ? quelle petite drôlerie ?

M. Jourdain. – Eh la… comment appelez-vous cela ? votre prologue ou dialogue de chansons et de danse.

80 Maître à danser. – Ah ! ah !

Maître de musique. – Vous nous y voyez préparés.

M. Jourdain. – Je vous ai fait un peu attendre, mais c'est que je me fais habiller aujourd'hui comme les gens de qualité[2] ; et mon tailleur m'a envoyé des bas de soie[3] que

85 j'ai pensé ne mettre jamais.

Maître de musique. – Nous ne sommes ici que pour attendre votre loisir[4].

M. Jourdain. – Je vous prie tous deux de ne vous point en aller, qu'on ne m'ait apporté[5] mon habit, afin que vous

90 me puissiez voir.

Maître à danser. – Tout ce qu'il vous plaira.

M. Jourdain. – Vous me verrez équipé comme il faut, depuis les pieds jusqu'à la tête.

Maître de musique. – Nous n'en doutons point.

---

1. *Drôlerie* : spectacle bouffon.
2. *Gens de qualité* : nobles de naissance.
3. La *soie* est rare et chère au XVIIe siècle ; un bourgeois n'en porte généralement pas ; on la trouve plutôt sur les costumes des nobles, et particulièrement les costumes de danse.
4. *Votre loisir* : le moment où vous serez disponible.
5. *Qu'on ne m'ait apporté* : avant qu'on m'ait apporté.

95   M. JOURDAIN. – Je me suis fait faire cette indienne[1]-ci.

MAÎTRE À DANSER. – Elle est fort belle.

M. JOURDAIN. – Mon tailleur m'a dit que les gens de qualité étaient comme cela le matin.

MAÎTRE DE MUSIQUE. – Cela vous sied[2] à merveille.

100   M. JOURDAIN. – Laquais! holà, mes deux laquais!

PREMIER LAQUAIS. – Que voulez-vous, monsieur?

M. JOURDAIN. – Rien. C'est pour voir si vous m'entendez bien. *(Aux deux Maîtres.)* Que dites-vous de mes livrées[3]?

MAÎTRE À DANSER. – Elles sont magnifiques.

105   M. JOURDAIN. *Il entrouvre sa robe[4] et fait voir un haut-de-chausses[5] étroit de velours rouge, et une camisole[6] de velours vert, dont il est vêtu.* – Voici encore un petit déshabillé[7] pour faire le matin mes exercices.

MAÎTRE DE MUSIQUE. – Il est galant[8].

110   M. JOURDAIN. – Laquais!

PREMIER LAQUAIS. – Monsieur.

M. JOURDAIN. – L'autre laquais!

SECOND LAQUAIS. – Monsieur.

M. JOURDAIN. – Tenez ma robe. Me trouvez-vous bien comme
115   cela?

MAÎTRE À DANSER. – Fort bien. On ne peut pas mieux.

M. JOURDAIN. – Voyons un peu votre affaire.

---

1. Indienne : robe de chambre luxueuse dans une étoffe peinte importée d'Inde.

2. Vous sied : vous va.

3. Livrées : uniformes que portent les laquais d'une même maison.

4. Robe : robe de chambre.

5. Haut-de-chausses : sorte de pantalon qui s'arrête aux genoux.

6. Camisole : vêtement court à manches porté sous ou sur la chemise.

7. Déshabillé : vêtement qu'on porte dans l'intimité de sa chambre.

8. Galant : élégant, distingué.

MAÎTRE DE MUSIQUE. – Je voudrais bien auparavant vous faire
    entendre un air qu'il vient de composer pour la sérénade
120   que vous m'avez demandée. C'est un de mes écoliers[1],
    qui a pour ces sortes de choses un talent admirable.

M. JOURDAIN. – Oui ; mais il ne fallait pas faire faire cela par
    un écolier, et vous n'étiez pas trop bon vous-même pour
    cette besogne-là.

125 MAÎTRE DE MUSIQUE. – Il ne faut pas, monsieur, que le nom
    d'écolier vous abuse[2]. Ces sortes d'écoliers en savent
    autant que les plus grands maîtres, et l'air est aussi beau
    qu'il s'en puisse faire. Écoutez seulement.

M. JOURDAIN. – Donnez-moi ma robe pour mieux enten-
130   dre… Attendez, je crois que je serai mieux sans robe…
    Non ; redonnez-la-moi, cela ira mieux.

MUSICIEN, *chantant*[3].

    Je languis[4] *nuit et jour, et mon mal est extrême,*
    Depuis qu'à vos rigueurs[5] *vos beaux yeux m'ont soumis ;*
135   *Si vous traitez ainsi, belle Iris, qui*[6] *vous aime,*
    Hélas ! que pourriez-vous faire à vos ennemis ?

M. JOURDAIN. – Cette chanson me semble un peu lugubre[7],
    elle endort, et je voudrais que vous la pussiez un peu
    ragaillardir[8] par-ci par-là.

---

1. *Écoliers* : disciples d'un maître ; mais M. Jourdain comprend le mot
dans le sens de « débutant » et craint de ne pas en avoir pour son argent.
2. *Abuse* : trompe.
3. Il s'agit ici de la sérénade que les spectateurs ont vu composer lors de
la scène musicale d'ouverture. Sur un air noble, les paroles reprennent
un thème et des motifs traditionnels de la poésie amoureuse.
4. *Languis* : souffre.
5. *Vos rigueurs* : votre dédain cruel.
6. *Qui* : celui qui.
7. *Lugubre* : triste.
8. *Ragaillardir* : raviver, rendre plus gaie (terme familier).

140 MAÎTRE DE MUSIQUE. – Il faut, monsieur, que l'air soit accommodé[1] aux paroles.

M. JOURDAIN. – On m'en apprit un tout à fait joli, il y a quelque temps. Attendez… la… comment est-ce qu'il dit ?

MAÎTRE À DANSER. – Par ma foi ! je ne sais.

145 M. JOURDAIN. – Il y a du mouton dedans.

MAÎTRE À DANSER. – Du mouton ?

M. JOURDAIN. – Oui. Ah !

M. Jourdain chante[2].

Je croyais Janneton
150 *Aussi douce que belle,*
Je croyais Janneton
Plus douce qu'un mouton :
Hélas ! hélas ! elle est cent fois,
Mille fois plus cruelle,
155 *Que n'est le tigre aux bois.*

N'est-il pas joli ?

MAÎTRE DE MUSIQUE. – Le plus joli du monde.

MAÎTRE À DANSER. – Et vous le chantez bien.

M. JOURDAIN. – C'est sans avoir appris la musique.

160 MAÎTRE DE MUSIQUE. – Vous devriez l'apprendre, monsieur, comme vous faites la danse. Ce sont deux arts qui ont une étroite liaison ensemble.

MAÎTRE À DANSER. – Et qui ouvrent l'esprit d'un homme aux belles choses.

165 M. JOURDAIN. – Est-ce que les gens de qualité apprennent aussi la musique ?

---

1. *Accommodé* : en accord, en harmonie avec.
2. Volontairement, Lully a intégré ici une chanson qu'il n'a pas composée lui-même et qui ne convient pas pour une sérénade.

MAÎTRE DE MUSIQUE. – Oui, monsieur.

M. JOURDAIN. – Je l'apprendrai donc. Mais je ne sais quel temps je pourrai prendre ; car, outre le Maître d'armes qui me montre[1], j'ai arrêté[2] encore un Maître de philosophie, qui doit commencer ce matin.

MAÎTRE DE MUSIQUE. – La philosophie est quelque chose ; mais la musique, monsieur, la musique...

MAÎTRE À DANSER. – La musique et la danse... La musique et la danse, c'est là tout ce qu'il faut.

MAÎTRE DE MUSIQUE. – Il n'y a rien qui soit si utile dans un État que la musique.

MAÎTRE À DANSER. – Il n'y a rien qui soit si nécessaire aux hommes que la danse.

MAÎTRE DE MUSIQUE. – Sans la musique, un État ne peut subsister.

MAÎTRE À DANSER. – Sans la danse, un homme ne saurait rien faire.

MAÎTRE DE MUSIQUE. – Tous les désordres, toutes les guerres qu'on voit dans le monde, n'arrivent que pour n'apprendre pas[3] la musique.

MAÎTRE À DANSER. – Tous les malheurs des hommes, tous les revers funestes[4] dont les histoires sont remplies, les bévues[5] des politiques, et les manquements[6] des grands capitaines, tout cela n'est venu que faute de savoir danser.

---

1. *Me montre* : m'enseigne son art.
2. *Arrêté* : engagé (le terme s'emploie généralement à propos d'un domestique).
3. *Pour n'apprendre pas* : parce qu'on n'apprend pas.
4. *Revers funestes* : événements qui apportent le malheur.
5. *Bévues* : erreurs.
6. *Manquements* : fautes.

M. Jourdain. – Comment cela ?

Maître de musique. – La guerre ne vient-elle pas d'un manque d'union entre les hommes ?

195 M. Jourdain. – Cela est vrai.

Maître de musique. – Et si tous les hommes apprenaient la musique, ne serait-ce pas le moyen de s'accorder ensemble, et de voir dans le monde la paix universelle ?

M. Jourdain. – Vous avez raison.

200 Maître à danser. – Lorsqu'un homme a commis un manquement dans sa conduite, soit aux affaires de sa famille, ou au gouvernement d'un État, ou au commandement d'une armée, ne dit-on pas toujours : « Un tel a fait un mauvais pas dans une telle affaire » ?

205 M. Jourdain. – Oui, on dit cela.

Maître à danser. – Et faire un mauvais pas peut-il procéder d'autre chose que de ne savoir pas danser ?

M. Jourdain. – Cela est vrai, vous avez raison tous deux.

Maître à danser. – C'est pour vous faire voir l'excellence et
210 l'utilité de la danse et de la musique.

M. Jourdain. – Je comprends cela à cette heure[1].

Maître de musique. – Voulez-vous voir nos deux affaires ?

M. Jourdain. – Oui.

Maître de musique. – Je vous l'ai déjà dit, c'est un petit
215 essai que j'ai fait autrefois des diverses passions que peut exprimer la musique.

M. Jourdain. – Fort bien.

Maître de musique. – Allons, avancez. Il faut vous figurer qu'ils sont habillés en bergers[2].

---

1. *À cette heure* : désormais.
2. Il s'agit d'une pastorale, genre à la mode au XVIIe siècle (pièce de théâtre, chant, danse mettant en scène des bergers).

220 M. JOURDAIN. – Pourquoi toujours des bergers ? On ne voit que cela partout.

MAÎTRE À DANSER. – Lorsqu'on a des personnes à faire parler en musique, il faut bien que, pour la vraisemblance, on donne dans la bergerie. Le chant a été de tout temps
225 affecté aux bergers ; et il n'est guère naturel en dialogue que des princes ou des bourgeois chantent leurs passions.

M. JOURDAIN. – Passe, passe[1]. Voyons.

Dialogue en musique

UNE MUSICIENNE ET DEUX MUSICIENS

Un cœur, dans l'amoureux empire[2],
230 *De mille soins[3] est toujours agité :*
On dit qu'avec plaisir on languit[4], on soupire ;
Mais, quoi qu'on puisse dire,
Il n'est rien de si doux que notre liberté.

PREMIER MUSICIEN

Il n'est rien de si doux que les tendres ardeurs[5]
235 *Qui font vivre deux cœurs*
Dans une même envie.
On ne peut être heureux sans amoureux désirs :
Ôtez l'amour de la vie,
Vous en ôtez les plaisirs.

---

1. Passe : passons.
2. Dans l'amoureux empire : quand il est amoureux.
3. Soins : soucis, tourments.
4. Languit : souffre.
5. Ardeurs : passions amoureuses.

SECOND MUSICIEN

240 *Il serait doux d'entrer sous l'amoureuse loi,*
Si l'on trouvait en amour de la foi[1] ;
Mais, hélas ! ô rigueur cruelle !
On ne voit point de bergère fidèle,
Et ce sexe[2] inconstant[3], trop indigne du jour[4],
245 *Doit faire pour jamais renoncer à l'amour.*

PREMIER MUSICIEN

Aimable ardeur,

MUSICIENNE

Franchise[5] heureuse,

SECOND MUSICIEN

Sexe trompeur,

PREMIER MUSICIEN

Que tu m'es précieuse !

MUSICIENNE

250 *Que tu plais à mon cœur !*

SECOND MUSICIEN

Que tu me fais d'horreur !

PREMIER MUSICIEN

Ah ! quitte pour aimer cette haine mortelle.

---

1. *Foi* : fidélité.
2. *Ce sexe* : le sexe féminin.
3. *Inconstant* : infidèle.
4. *Du jour* : de voir la lumière du jour, de vivre.
5. *Franchise* : indépendance, liberté.

MUSICIENNE

On peut, on peut te montrer
Une bergère fidèle.

SECOND MUSICIEN

255 *Hélas ! où la rencontrer ?*

MUSICIENNE

Pour défendre notre gloire[1],
Je te veux offrir mon cœur.

SECOND MUSICIEN

Mais, Bergère, puis-je croire
Qu'il ne sera point trompeur ?

MUSICIENNE

260 *Voyons par expérience*
Qui des deux aimera mieux.

SECOND MUSICIEN

Qui manquera de constance,
Le puissent perdre les dieux !

TOUS TROIS

À des ardeurs si belles
265 *Laissons-nous enflammer :*
Ah ! qu'il est doux d'aimer,
Quand deux cœurs sont fidèles !

M. JOURDAIN. – Est-ce tout ?
MAÎTRE DE MUSIQUE. – Oui.

---

1. Gloire : ici, réputation.

270   M. JOURDAIN. – Je trouve cela bien troussé[1], et il y a là-dedans de petits dictons[2] assez jolis.

MAÎTRE À DANSER. – Voici, pour mon affaire, un petit essai des plus beaux mouvements et des plus belles attitudes dont une danse puisse être variée.

275   M. JOURDAIN. – Sont-ce encore des bergers ?

MAÎTRE À DANSER. – C'est ce qu'il vous plaira. Allons.

Quatre danseurs exécutent tous les mouvements différents et toutes les sortes de pas que le Maître à danser leur commande, et cette danse fait le premier intermède[3].

---

1. *Bien troussé* : bien tourné (expression populaire).

2. *Dictons* : formules.

3. L'intermède est composé de différents fragments musicaux qui permettent aux danseurs de montrer l'étendue de leur talent en exécutant tour à tour plusieurs types de danses (allemande, sarabande, bourrée gaillarde, canarie).

Acte II

Scène première

M. JOURDAIN, MAÎTRE DE MUSIQUE,
MAÎTRE À DANSER, LAQUAIS

M. JOURDAIN. – Voilà qui n'est point sot, et ces gens-là se trémoussent[1] bien.

MAÎTRE DE MUSIQUE. – Lorsque la danse sera mêlée avec la musique, cela fera plus d'effet encore, et vous verrez
5   quelque chose de galant[2] dans le petit ballet que nous avons ajusté pour vous.

M. JOURDAIN. – C'est pour tantôt[3] au moins[4]; et la personne pour qui j'ai fait faire tout cela me doit faire l'honneur de venir dîner[5] céans[6].

10 MAÎTRE À DANSER. – Tout est prêt.

MAÎTRE DE MUSIQUE. – Au reste, monsieur, ce n'est pas assez :

---

1. Se trémoussent : s'agitent (appliqué à des danseurs, le terme est péjoratif).
2. Galant : élégant, adapté au goût de la cour.
3. Tantôt : tout à l'heure.
4. Au moins : sans faute.
5. Dîner : au XVIIᵉ siècle, le mot désigne ce que nous appelons aujourd'hui «déjeuner»; le repas du soir est appelé «souper».
6. Céans : ici.

il faut qu'une personne comme vous, qui êtes magnifique[1], et qui avez de l'inclination[2] pour les belles choses, ait un concert de musique chez soi tous les mercredis ou
15 tous les jeudis.

M. JOURDAIN. – Est-ce que les gens de qualité en ont ?

MAÎTRE DE MUSIQUE. – Oui, monsieur.

M. JOURDAIN. – J'en aurai donc. Cela sera-t-il beau ?

MAÎTRE DE MUSIQUE. – Sans doute. Il vous faudra trois voix :
20 un dessus, une haute-contre, et une basse[3], qui seront accompagnées d'une basse de viole[4], d'un théorbe[5], et d'un clavecin pour les basses continues[6], avec deux dessus de violon[7] pour jouer les ritournelles[8].

M. JOURDAIN. – Il y faudra mettre aussi une trompette
25 marine[9]. La trompette marine est un instrument qui me plaît, et qui est harmonieux.

MAÎTRE DE MUSIQUE. – Laissez-nous gouverner les choses.

M. JOURDAIN. – Au moins n'oubliez pas tantôt de m'envoyer des musiciens, pour chanter à table.

---

1. *Qui êtes magnifique* : qui dépensez sans compter, qui aimez le faste.

2. *De l'inclination* : du goût.

3. *Un dessus, une haute-contre, et une basse* : trois chanteurs chantant sur trois tons différents – on parlerait aujourd'hui de ténor, de soprano (ou d'alto) et de basse.

4. *Basse de viole* : sorte de grand violon à sept cordes, ancêtre du violoncelle.

5. *Théorbe* : sorte de luth ou de guitare à deux manches.

6. *Basses continues* : partie de la musique la plus basse, qui sert de fondement à toutes les autres parties et au chant.

7. *Dessus de violon* : violons sur lesquels on joue la partie la plus haute de la musique.

8. *Ritournelles* : petits airs qui précèdent ou suivent un chant.

9. *Trompette marine* : sorte de mandoline à une corde ; cet instrument très simple est plutôt utilisé par les musiciens de rue.

30 MAÎTRE DE MUSIQUE. – Vous aurez tout ce qu'il vous faut.

M. JOURDAIN. – Mais surtout, que le ballet soit beau.

MAÎTRE DE MUSIQUE. – Vous en serez content, et, entre autres choses, de certains menuets[1] que vous y verrez.

M. JOURDAIN. – Ah! les menuets sont ma danse, et je veux
35 que vous me les voyiez danser. Allons, mon maître.

MAÎTRE À DANSER. – Un chapeau, monsieur, s'il vous plaît. La, la, la; la, la, la, la, la, la; la, la, la, *bis*; la, la, la; la, la. En cadence, s'il vous plaît. La, la, la, la. La jambe droite. La, la, la. Ne remuez point tant les épaules. La, la, la, la,
40 la; la, la, la, la, la. Vos deux bras sont estropiés. La, la, la, la, la. Haussez la tête. Tournez la pointe du pied en dehors. La, la, la. Dressez votre corps[2].

M. JOURDAIN. – Euh?

MAÎTRE DE MUSIQUE. – Voilà qui est le mieux du monde.

45 M. JOURDAIN. – À propos. Apprenez-moi comme il faut faire une révérence pour saluer une marquise : j'en aurai besoin tantôt.

MAÎTRE À DANSER. – Une révérence pour saluer une marquise?

M. JOURDAIN. – Oui : une marquise qui s'appelle Dorimène.

50 MAÎTRE À DANSER. – Donnez-moi la main.

M. JOURDAIN. – Non. Vous n'avez qu'à faire : je le retiendrai bien.

MAÎTRE À DANSER. – Si vous voulez la saluer avec beaucoup de respect, il faut faire d'abord une révérence en arrière,
55 puis marcher vers elle avec trois révérences en avant, et à la dernière vous baisser jusqu'à ses genoux.

M. JOURDAIN. – Faites un peu. Bon.

---

1. Menuets : danses à trois temps, gracieuses, très appréciées à la cour de Louis XIV, où Lully en a imposé la mode.
2. La danse lourde et maladroite de M. Jourdain a un effet comique.

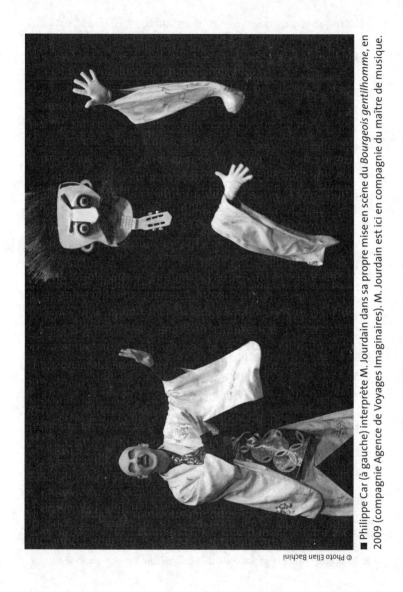

■ Philippe Car (à gauche) interprète M. Jourdain dans sa propre mise en scène du *Bourgeois gentilhomme*, en 2009 (compagnie Agence de Voyages Imaginaires). M. Jourdain est ici en compagnie du maître de musique.

PREMIER LAQUAIS. – Monsieur, voilà votre maître d'armes qui
est là.

60 M. JOURDAIN. – Dis-lui qu'il entre ici pour me donner leçon.
Je veux que vous me voyiez faire.

Scène 2

MAÎTRE D'ARMES, MAÎTRE DE MUSIQUE,
MAÎTRE À DANSER, M. JOURDAIN, DEUX LAQUAIS

MAÎTRE D'ARMES, *après lui avoir mis le fleuret*[1] *à la main.* – Allons,
monsieur, la révérence. Votre corps droit. Un peu penché
sur la cuisse gauche. Les jambes point tant écartées. Vos
65 pieds sur une même ligne. Votre poignet à l'opposite de
votre hanche[2]. La pointe de votre épée vis-à-vis de votre
épaule. Le bras pas tout à fait si étendu. La main gauche
à la hauteur de l'œil. L'épaule gauche plus quartée[3]. La
tête droite. Le regard assuré. Avancez. Le corps ferme.
70 Touchez-moi l'épée de quarte, et achevez de même. Une,
deux. Remettez-vous. Redoublez[4] de pied ferme. Un
saut en arrière. Quand vous portez la botte[5], monsieur, il
faut que l'épée parte la première, et que le corps soit bien

---

1. *Fleuret* : épée terminée par un bouton garni de cuir, qui sert à s'exer-
cer à l'escrime.
2. *À l'opposite de votre hanche* : à la hauteur de votre hanche.
3. *Quartée* : tournée pour esquiver le coup éventuel de l'adversaire (en
position de «quarte», terme technique qui désigne la manière de porter
un coup en tournant le poignet en dehors).
4. *Redoublez* : recommencez.
5. *Portez la botte* : portez un coup avec le fleuret.

effacé. Une, deux. Allons, touchez-moi l'épée de tierce[1],
et achevez de même. Avancez. Le corps ferme. Avancez.
Partez de là. Une, deux. Remettez-vous. Redoublez. Un
saut en arrière. En garde, monsieur, en garde.

Le Maître d'armes lui pousse deux ou trois bottes, en lui disant :
« En garde. »

M. JOURDAIN. – Euh ?

MAÎTRE DE MUSIQUE. – Vous faites des merveilles.

MAÎTRE D'ARMES. – Je vous l'ai déjà dit, tout le secret des
armes ne consiste qu'en deux choses, à donner, et à ne
point recevoir ; et comme je vous fis voir l'autre jour
par raison démonstrative[2], il est impossible que vous
receviez, si vous savez détourner l'épée de votre ennemi
de la ligne de votre corps : ce qui ne dépend seulement
que d'un petit mouvement du poignet ou en dedans, ou
en dehors.

M. JOURDAIN. – De cette façon donc, un homme, sans avoir
du cœur[3], est sûr de tuer son homme, et de n'être point
tué.

MAÎTRE D'ARMES. – Sans doute. N'en vîtes-vous pas la démons-
tration ?

M. JOURDAIN. – Oui.

MAÎTRE D'ARMES. – Et c'est en quoi l'on voit de quelle considération nous autres nous devons être[4] dans un État, et
combien la science des armes l'emporte hautement sur
toutes les autres sciences inutiles, comme la danse, la
musique, la…

---

1. *Tierce* : manière de porter un coup en tournant le poignet en dedans.
2. *Par raison démonstrative* : à l'aide d'un raisonnement convaincant.
3. *Cœur* : courage.
4. *De quelle considération* […] *nous devons être* : quelle estime on
doit avoir pour nous.

Maître à danser. – Tout beau[1], monsieur le tireur d'armes :
ne parlez de la danse qu'avec respect.

Maître de musique. – Apprenez, je vous prie, à mieux traiter
l'excellence de la musique.

105 Maître d'armes. – Vous êtes de plaisantes gens, de vouloir
comparer vos sciences à la mienne !

Maître de musique. – Voyez un peu l'homme d'importance !

Maître à danser. – Voilà un plaisant animal, avec son
110 plastron[2] !

Maître d'armes. – Mon petit maître à danser, je vous ferais
danser comme il faut. Et vous, mon petit musicien, je
vous ferais chanter de la belle manière.

Maître à danser. – Monsieur le batteur de fer, je vous
115 apprendrai votre métier.

M. Jourdain, au Maître à danser. – Êtes-vous fou de l'aller
quereller, lui qui entend[3] la tierce et la quarte, et qui sait
tuer un homme par raison démonstrative ?

Maître à danser. – Je me moque de sa raison démonstrative,
120 et de sa tierce et de sa quarte.

M. Jourdain. – Tout doux, vous dis-je.

Maître d'armes. – Comment ? petit impertinent.

M. Jourdain. – Eh ! mon Maître d'armes.

Maître à danser. – Comment ? grand cheval de carrosse[4].

125 M. Jourdain. – Eh ! mon Maître à danser.

Maître d'armes. – Si je me jette sur vous…

---

1. *Tout beau* : doucement, du calme.
2. *Plastron* : pièce de cuir que les escrimeurs portent sur la poitrine
pour se protéger.
3. *Entend* : connaît.
4. *Cheval de carrosse* : au sens figuré, homme brutal ou stupide.

M. Jourdain. – Doucement.

Maître à danser. – Si je mets sur vous la main...

M. Jourdain. – Tout beau.

130 Maître d'armes. – Je vous étrillerai[1] d'un air...

M. Jourdain. – De grâce[2] !

Maître à danser. – Je vous rosserai[3] d'une manière...

M. Jourdain. – Je vous prie.

Maître de musique. – Laissez-nous un peu lui apprendre à

135 parler.

M. Jourdain. – Mon Dieu ! arrêtez-vous !

Scène 3

Maître de philosophie, Maître de musique,
Maître à danser,
Maître d'armes, M. Jourdain, laquais

M. Jourdain. – Holà, monsieur le philosophe, vous arrivez tout à propos[4] avec votre philosophie. Venez un peu mettre la paix entre ces personnes-ci.

140 Maître de philosophie. – Qu'est-ce donc ? Qu'y a-t-il, Messieurs ?

M. Jourdain. – Ils se sont mis en colère pour la préférence[5] de leurs professions, jusqu'à se dire des injures, et vouloir en venir aux mains.

---

1. *Étrillerai* : battrai.
2. *De grâce* : s'il vous plaît.
3. *Rosserai* : frapperai.
4. *Tout à propos* : exactement au bon moment.
5. *Pour la préférence* : pour défendre la supériorité.

145 MAÎTRE DE PHILOSOPHIE. – Hé quoi? Messieurs, faut-il s'emporter de la sorte? et n'avez-vous point lu le docte[1] traité que Sénèque[2] a composé de la colère[3]? Y a-t-il rien de plus bas et de plus honteux que cette passion, qui fait d'un homme une bête féroce? et la raison ne doit-elle
150 pas être maîtresse de tous nos mouvements?

MAÎTRE À DANSER. – Comment, monsieur, il vient nous dire des injures à tous deux, en méprisant la danse que j'exerce, et la musique dont il fait profession?

MAÎTRE DE PHILOSOPHIE. – Un homme sage est au-dessus
155 de toutes les injures qu'on lui peut dire; et la grande réponse qu'on doit faire aux outrages, c'est la modération et la patience.

MAÎTRE D'ARMES. – Ils ont tous deux l'audace de vouloir comparer leurs professions à la mienne.

160 MAÎTRE DE PHILOSOPHIE. – Faut-il que cela vous émeuve? Ce n'est pas de vaine gloire et de condition que les hommes doivent disputer entre eux; et ce qui nous distingue parfaitement les uns des autres, c'est la sagesse et la vertu.

MAÎTRE À DANSER. – Je lui soutiens que la danse est une
165 science à laquelle on ne peut faire assez d'honneur.

MAÎTRE DE MUSIQUE. – Et moi, que la musique en est une que tous les siècles ont révérée[4].

MAÎTRE D'ARMES. – Et moi, je leur soutiens à tous deux que la science de tirer des armes est la plus belle et la plus
170 nécessaire de toutes les sciences.

---

1. Docte : savant.
2. Sénèque (4 av. J.-C.-65 apr. J.-C.) : philosophe de l'Antiquité romaine, dont les traités enseignent à surmonter les passions.
3. De la colère : au sujet de la colère.
4. Révérée : honorée.

MAÎTRE DE PHILOSOPHIE. – Et que sera donc la philosophie ? Je vous trouve tous trois bien impertinents de parler devant moi avec cette arrogance et de donner impudemment[1] le nom de science à des choses que l'on ne doit pas même honorer du nom d'art, et qui ne peuvent être comprises que sous le nom de métier misérable de gladiateur, de chanteur et de baladin[2] !

MAÎTRE D'ARMES. – Allez, philosophe de chien.

MAÎTRE DE MUSIQUE. – Allez, bélître[3] de pédant[4].

180 MAÎTRE À DANSER. – Allez, cuistre fieffé[5].

MAÎTRE DE PHILOSOPHIE. – Comment ? Marauds[6] que vous êtes…

Le philosophe se jette sur eux, et tous trois le chargent de coups, et sortent en se battant.

185 M. JOURDAIN. – Monsieur le philosophe.

MAÎTRE DE PHILOSOPHIE. – Infâmes ! coquins ! insolents !

M. JOURDAIN. – Monsieur le philosophe.

MAÎTRE D'ARMES. – La peste l'animal[7] !

M. JOURDAIN. – Messieurs.

190 MAÎTRE DE PHILOSOPHIE. – Impudents[8] !

M. JOURDAIN. – Monsieur le philosophe.

MAÎTRE À DANSER. – Diantre soit de l'âne bâté[9] !

---

1. *Impudemment* : sans honte.
2. *Baladin* : danseur ou comédien de farce (terme péjoratif).
3. *Bélître* : coquin, homme de rien.
4. *Pédant* : prétentieux.
5. *Cuistre fieffé* : homme très vaniteux et ridicule.
6. *Marauds* : coquins, fripons.
7. *La peste l'animal* : que la peste emporte cet animal !
8. *Impudents* : effrontés, impertinents.
9. *Diantre soit de l'âne bâté* : que cet âne stupide aille au diable !

M. JOURDAIN. – Messieurs.

MAÎTRE DE PHILOSOPHIE. – Scélérats[1] !

195 M. JOURDAIN. – Monsieur le philosophe.

MAÎTRE DE MUSIQUE. – Au diable l'impertinent !

M. JOURDAIN. – Messieurs.

MAÎTRE DE PHILOSOPHIE. – Fripons ! gueux ! traîtres ! imposteurs !

200 *Ils sortent.*

M. JOURDAIN. – Monsieur le philosophe, messieurs, monsieur le philosophe, messieurs, monsieur le philosophe. Oh ! battez-vous tant qu'il vous plaira : je n'y saurais que faire, et je n'irai pas gâter[2] ma robe pour vous séparer. 205 Je serais bien fou de m'aller fourrer parmi eux, pour recevoir quelque coup qui me ferait mal.

Scène 4

MAÎTRE DE PHILOSOPHIE, M. JOURDAIN

MAÎTRE DE PHILOSOPHIE, *en raccommodant son collet*[3]. – Venons à notre leçon.

M. JOURDAIN. – Ah ! monsieur, je suis fâché des coups qu'ils 210 vous ont donnés.

MAÎTRE DE PHILOSOPHIE. – Cela n'est rien. Un philosophe sait recevoir comme il faut les choses, et je vais compo-

---

1. *Scélérats* : méchants.

2. *Gâter* : abîmer.

3. *Collet* : rabat de toile blanche qu'on mettait autour du cou ; col.

ser contre eux une satire du style de Juvénal[1], qui les déchirera[2] de la belle façon. Laissons cela. Que voulez-
215 vous apprendre ?

M. JOURDAIN. – Tout ce que je pourrai, car j'ai toutes les envies du monde d'être savant ; et j'enrage que mon père et ma mère ne m'aient pas fait bien étudier dans toutes les sciences, quand j'étais jeune.

220 MAÎTRE DE PHILOSOPHIE. – Ce sentiment est raisonnable : *nam sine doctrina vita est quasi mortis imago.* Vous entendez[3] cela, et vous savez le latin sans doute.

M. JOURDAIN. – Oui, mais faites comme si je ne le savais pas : expliquez-moi ce que cela veut dire.

225 MAÎTRE DE PHILOSOPHIE. – Cela veut dire que Sans la science, la vie est presque une image de la mort.

M. JOURDAIN. – Ce latin-là a raison.

MAÎTRE DE PHILOSOPHIE. – N'avez-vous[4] point quelques principes, quelques commencements des sciences ?

230 M. JOURDAIN. – Oh ! oui, je sais lire et écrire.

MAÎTRE DE PHILOSOPHIE. – Par où vous plaît-il que nous commencions ? Voulez-vous que je vous apprenne la logique ?

M. JOURDAIN. – Qu'est-ce que c'est que cette logique ?

235 MAÎTRE DE PHILOSOPHIE. – C'est elle qui enseigne les trois opérations de l'esprit.

M. JOURDAIN. – Qui[5] sont-elles, ces trois opérations de l'esprit ?

---

1. *Juvénal* (v. 55-v. 140) : poète latin de l'Antiquité, spécialisé dans l'écriture de satires, ouvrages dressant des portraits ridicules de ses contemporains.
2. *Déchirera* : critiquera.
3. *Entendez* : comprenez.
4. *N'avez-vous* : ne connaissez-vous.
5. *Qui* : quelles.

■ M. Jourdain (Michel Robin, à droite) et le maître de philosophie (Jean-Pierre Michael) dans la mise en scène de Jean-Louis Benoit à la Comédie-Française, en 2000.

MAÎTRE DE PHILOSOPHIE. – La première, la seconde, et la
240 troisième. La première est de bien concevoir par le
moyen des universaux. La seconde, de bien juger par le
moyen des catégories ; et la troisième, de bien tirer une
conséquence par le moyen des figures *Barbara, Celarent,
Darii, Ferio, Baralipton*[1], etc.

245 M. JOURDAIN. – Voilà des mots qui sont trop rébarbatifs[2].
Cette logique-là ne me revient[3] point. Apprenons autre
chose qui soit plus joli.

MAÎTRE DE PHILOSOPHIE. – Voulez-vous apprendre la
morale ?

250 M. JOURDAIN. – La morale ?

MAÎTRE DE PHILOSOPHIE. – Oui.

M. JOURDAIN. – Qu'est-ce qu'elle dit, cette morale ?

MAÎTRE DE PHILOSOPHIE. – Elle traite de la félicité[4], enseigne
aux hommes à modérer leurs passions, et…

255 M. JOURDAIN. – Non, laissons cela. Je suis bilieux[5] comme
tous les diables ; et il n'y a morale qui tienne, je me veux
mettre en colère tout mon soûl[6], quand il m'en prend
envie.

---

1. Dans cette réplique, le maître de philosophie multiplie l'emploi des
termes techniques de la logique, incompréhensibles pour M. Jourdain.
Les **universaux** sont les caractères communs à tous les individus d'une
espèce, les **catégories** les dix classes dans lesquelles on peut ranger les
êtres selon le philosophe grec Aristote (v. 384 av. J.-C.-v. 322 av. J.-C.),
et les **figures** l'ordre des termes dont est formé un raisonnement – les
mots en latin qui suivent sont des formules destinées à mémoriser les
principales disposition du raisonnement.
2. *Rébarbatifs* : repoussants.
3. *Revient* : plaît.
4. *Félicité* : bonheur.
5. *Bilieux* : coléreux.
6. *Tout mon soûl* : autant que je le veux.

MAÎTRE DE PHILOSOPHIE. – Est-ce la physique que vous voulez
260   apprendre ?

M. JOURDAIN. – Qu'est-ce qu'elle chante, cette physique ?

MAÎTRE DE PHILOSOPHIE. – La physique est celle qui explique les principes des choses naturelles, et les propriétés
du corps ; qui discourt de la nature des éléments, des
265   métaux, des minéraux, des pierres, des plantes et des
animaux, et nous enseigne les causes de tous les météo-
res, l'arc-en-ciel, les feux volants, les comètes, les éclairs,
le tonnerre, la foudre, la pluie, la neige, la grêle, les vents
et les tourbillons.

270 M. JOURDAIN. – Il y a trop de tintamarre[1] là-dedans, trop de
brouillamini[2].

MAÎTRE DE PHILOSOPHIE. – Que voulez-vous donc que je vous
apprenne ?

M. JOURDAIN. – Apprenez-moi l'orthographe.

275 MAÎTRE DE PHILOSOPHIE. – Très volontiers.

M. JOURDAIN. – Après, vous m'apprendrez l'almanach[3],
pour savoir quand il y a de la lune et quand il n'y en a
point.

MAÎTRE DE PHILOSOPHIE. – Soit. Pour bien suivre votre pensée
280   et traiter cette matière en philosophe, il faut commencer
selon l'ordre des choses, par une exacte connaissance
de la nature des lettres, et de la différente manière de
les prononcer toutes. Et là-dessus j'ai à vous dire que
les lettres sont divisées en voyelles, ainsi dites voyel-
285   les parce qu'elles expriment les voix ; et en consonnes,
ainsi appelées consonnes parce qu'elles sonnent avec les

---

1. *Tintamarre* : confusion.
2. *Brouillamini* : confusion, choses embrouillées.
3. *Almanach* : calendrier.

voyelles, et ne font que marquer les diverses articulations des voix. Il y a cinq voyelles ou voix : A, E, I, O, U.

M. JOURDAIN. – J'entends tout cela.

290 MAÎTRE DE PHILOSOPHIE. – La voix A se forme en ouvrant fort la bouche : A.

M. JOURDAIN. – A, A. Oui.

MAÎTRE DE PHILOSOPHIE. – La voix E se forme en rapprochant la mâchoire d'en bas de celle d'en haut : A, E.

295 M. JOURDAIN. – A, E, A, E. Ma foi ! oui. Ah ! que cela est beau !

MAÎTRE DE PHILOSOPHIE. – Et la voix I en rapprochant encore davantage les mâchoires l'une de l'autre, et écartant les deux coins de la bouche vers les oreilles : A, E, I.

300 M. JOURDAIN. – A, E, I, I, I, I. Cela est vrai. Vive la science !

MAÎTRE DE PHILOSOPHIE. – La voix O se forme en rouvrant les mâchoires, et rapprochant les lèvres par les deux coins, le haut et le bas : O.

M. JOURDAIN. – O, O. Il n'y a rien de plus juste. A, E, I, O, I, 305 O. Cela est admirable ! I, O, I, O.

MAÎTRE DE PHILOSOPHIE. – L'ouverture de la bouche fait justement comme un petit rond qui représente un O.

M. JOURDAIN. – O, O, O. Vous avez raison. O. Ah ! la belle chose, que de savoir quelque chose !

310 MAÎTRE DE PHILOSOPHIE. – La voix U se forme en rapprochant les dents sans les joindre entièrement, et allongeant les deux lèvres en dehors, les approchant aussi l'une de l'autre sans les rejoindre tout à fait : U.

M. JOURDAIN. – U, U. Il n'y a rien de plus véritable : U.

315 MAÎTRE DE PHILOSOPHIE. – Vos deux lèvres s'allongent comme si vous faisiez la moue : d'où vient que si vous la voulez

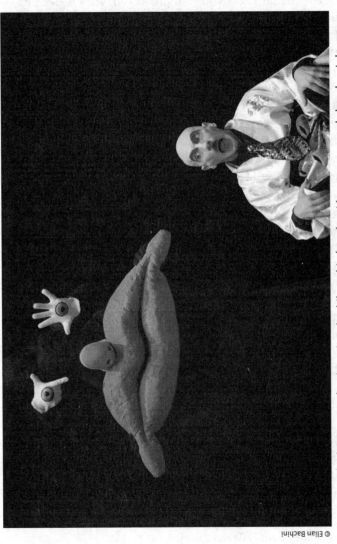

■ M. Jourdain (Philippe Car) et le maître de philosophie (représenté par une « grande bouche et deux yeux manipulés par deux acteurs cagoulés »), dans la mise en scène de Philippe Car, en 2009 (compagnie Agence de Voyages Imaginaires).

faire à quelqu'un, et vous moquer de lui, vous ne sauriez lui dire que : U.

M. JOURDAIN. – U, U. Cela est vrai. Ah! que n'ai-je étudié
320 plus tôt, pour savoir tout cela?

MAÎTRE DE PHILOSOPHIE. – Demain, nous verrons les autres lettres, qui sont les consonnes.

M. JOURDAIN. – Est-ce qu'il y a des choses aussi curieuses qu'à celles-ci?

325 MAÎTRE DE PHILOSOPHIE. – Sans doute. La consonne D, par exemple, se prononce en donnant du bout de la langue au-dessus des dents d'en haut : Da.

M. JOURDAIN. – Da, Da. Oui. Ah! les belles choses! les belles choses!

330 MAÎTRE DE PHILOSOPHIE. – L'F en appuyant les dents d'en haut sur la lèvre de dessous : Fa.

M. JOURDAIN. – Fa, Fa. C'est la vérité. Ah! mon père et ma mère, que je vous veux de mal!

MAÎTRE DE PHILOSOPHIE. – Et l'R, en portant le bout de la
335 langue jusqu'au haut du palais, de sorte qu'étant frôlée par l'air qui sort avec force, elle lui cède, et revient toujours au même endroit, faisant une manière de tremblement : R, ra.

M. JOURDAIN. – R, r, ra; R, r, r, r, r, ra. Cela est vrai! Ah!
340 l'habile homme que vous êtes! et que j'ai perdu de temps! R, r, r, ra.

MAÎTRE DE PHILOSOPHIE. – Je vous expliquerai à fond toutes ces curiosités.

M. JOURDAIN. – Je vous en prie. Au reste, il faut que je vous
345 fasse une confidence. Je suis amoureux d'une personne de grande qualité[1], et je souhaiterais que vous m'aidassiez à

---

1. De grande qualité : de haute noblesse.

■ M. Jourdain (Olivier Martin, à gauche) et le maître de philosophie (Benjamin Lazar) dans la mise en scène de Benjamin Lazar, en 2004.

lui écrire quelque chose dans un petit billet[1] que je veux laisser tomber à ses pieds.

MAÎTRE DE PHILOSOPHIE. – Fort bien.

350 M. JOURDAIN. – Cela sera galant, oui.

MAÎTRE DE PHILOSOPHIE. – Sans doute. Sont-ce des vers que vous lui voulez écrire[2] ?

M. JOURDAIN. – Non, non, point de vers.

MAÎTRE DE PHILOSOPHIE. – Vous ne voulez que de la prose ?

355 M. JOURDAIN. – Non, je ne veux ni prose ni vers.

MAÎTRE DE PHILOSOPHIE. – Il faut bien que ce soit l'un, ou l'autre.

M. JOURDAIN. – Pourquoi ?

MAÎTRE DE PHILOSOPHIE. – Par la raison, monsieur, qu'il n'y a
360 pour s'exprimer que la prose, ou les vers.

M. JOURDAIN. – Il n'y a que la prose ou les vers ?

MAÎTRE DE PHILOSOPHIE. – Non, monsieur : tout ce qui n'est point prose est vers ; et tout ce qui n'est point vers est prose.

365 M. JOURDAIN. – Et comme l'on parle, qu'est-ce que c'est donc que cela ?

MAÎTRE DE PHILOSOPHIE. – De la prose.

M. JOURDAIN. – Quoi ? quand je dis : « Nicole, apportez-moi mes pantoufles, et me donnez mon bonnet de nuit », c'est
370 de la prose ?

MAÎTRE DE PHILOSOPHIE. – Oui, monsieur.

M. JOURDAIN. – Par ma foi ! il y a plus de quarante ans que je dis de la prose sans que j'en susse rien, et je vous suis le plus obligé[3] du monde de m'avoir appris cela. Je

---

1. Billet : lettre d'amour.
2. Que vous lui voulez écrire : que vous voulez lui écrire.
3. Obligé : reconnaissant.

375 voudrais donc lui mettre dans un billet : *Belle Marquise,*
     vos beaux yeux me font mourir d'amour ; mais je voudrais
     que cela fût mis d'une manière galante, que cela fût
     tourné gentiment[1].

     MAÎTRE DE PHILOSOPHIE. – Mettre que les feux de ses yeux
380 réduisent votre cœur en cendres ; que vous souffrez nuit
     et jour pour elle les violences d'un...

     M. JOURDAIN. – Non, non, non, je ne veux point tout cela ;
     je ne veux que ce que je vous ai dit : *Belle Marquise, vos*
     beaux yeux me font mourir d'amour.

385 MAÎTRE DE PHILOSOPHIE. – Il faut bien étendre un peu la chose.

     M. JOURDAIN. – Non, vous dis-je, je ne veux que ces seules
     paroles-là dans le billet ; mais tournées à la mode, bien
     arrangées comme il faut. Je vous prie de me dire un peu,
     pour voir, les diverses manières dont on les peut mettre.

390 MAÎTRE DE PHILOSOPHIE. – On les peut mettre premièrement
     comme vous avez dit : *Belle Marquise, vos beaux yeux*
     me font mourir d'amour. Ou bien : *D'amour mourir me*
     font, belle Marquise, vos beaux yeux. Ou bien : *Vos yeux*
     beaux d'amour me font, belle Marquise, mourir. Ou bien :
395 *Mourir vos beaux yeux, belle Marquise, d'amour me font.*
     Ou bien : *Me font vos yeux beaux mourir, belle Marquise,*
     d'amour.

     M. JOURDAIN. – Mais de toutes ces façons-là, laquelle est la
     meilleure ?

400 MAÎTRE DE PHILOSOPHIE. – Celle que vous avez dite : *Belle*
     Marquise, vos beaux yeux me font mourir d'amour.

     M. JOURDAIN. – Cependant je n'ai point étudié, et j'ai fait
     cela tout du premier coup. Je vous remercie de tout mon
     cœur, et vous prie de venir demain de bonne heure.

     ---

     1. *Gentiment* : joliment.

405 MAÎTRE DE PHILOSOPHIE. – Je n'y manquerai pas.

M. JOURDAIN. – Comment ? mon habit n'est point encore arrivé ?

SECOND LAQUAIS. – Non, monsieur.

M. JOURDAIN. – Ce maudit tailleur me fait bien attendre pour
410 un jour où j'ai tant d'affaires. J'enrage. Que la fièvre
quartaine[1] puisse serrer[2] bien fort le bourreau de tailleur !
Au diable le tailleur ! La peste étouffe[3] le tailleur ! Si je
le tenais maintenant, ce tailleur détestable, ce chien de
tailleur-là, ce traître de tailleur, je…

Scène 5

MAÎTRE TAILLEUR, GARÇON TAILLEUR, *portant l'habit
de M. Jourdain*,
M. JOURDAIN, LAQUAIS

415 M. JOURDAIN. – Ah ! vous voilà ! je m'allais mettre en colère
contre vous.

MAÎTRE TAILLEUR. – Je n'ai pas pu venir plus tôt, et j'ai mis
vingt garçons après votre habit.

M. JOURDAIN. – Vous m'avez envoyé des bas de soie si étroits
420 que j'ai eu toutes les peines du monde à les mettre, et il
y a déjà deux mailles de rompues.

MAÎTRE TAILLEUR. – Ils ne s'élargiront que trop.

---

1. *Fièvre quartaine* : forte fièvre.
2. *Serrer* : attaquer.
3. *La peste étouffe* : que la peste étouffe.

M. JOURDAIN. – Oui, si je romps toujours des mailles. Vous m'avez aussi fait faire des souliers qui me blessent furieu-
425 sement[1].

MAÎTRE TAILLEUR. – Point du tout, monsieur.

M. JOURDAIN. – Comment, point du tout ?

MAÎTRE TAILLEUR. – Non, ils ne vous blessent point.

M. JOURDAIN. – Je vous dis qu'ils me blessent, moi.

430 MAÎTRE TAILLEUR. – Vous vous imaginez cela.

M. JOURDAIN. – Je me l'imagine, parce que je le sens. Voyez la belle raison !

MAÎTRE TAILLEUR. – Tenez, voilà le plus bel habit de la cour, et le mieux assorti. C'est un chef-d'œuvre que d'avoir
435 inventé un habit sérieux qui ne fût pas noir ; et je le donne en six coups aux tailleurs les plus éclairés[2].

M. JOURDAIN. – Qu'est-ce que c'est que ceci ? Vous avez mis les fleurs en enbas[3].

MAÎTRE TAILLEUR. – Vous ne m'aviez pas dit que vous les
440 vouliez en enhaut[4].

M. JOURDAIN. – Est-ce qu'il faut dire cela ?

MAÎTRE TAILLEUR. – Oui, vraiment. Toutes les personnes de qualité les portent de la sorte.

M. JOURDAIN. – Les personnes de qualité portent les fleurs
445 en enbas ?

MAÎTRE TAILLEUR. – Oui, monsieur.

M. JOURDAIN. – Oh ! voilà qui est donc bien.

MAÎTRE TAILLEUR. – Si vous voulez, je les mettrai en enhaut.

---

1. *Furieusement* : terriblement.
2. *Je le donne en six coups aux tailleurs les plus éclairés* : je défie les meilleurs tailleurs de réussir à le faire en six reprises (formule de défi qui provient d'un jeu de dés).
3. *En enbas* : à l'envers, la «tête» (corolle) en bas.
4. *En enhaut* : à l'endroit, la «tête» en haut.

M. Jourdain. – Non, non.

450 Maître tailleur. – Vous n'avez qu'à dire.

M. Jourdain. – Non, vous dis-je ; vous avez bien fait. Croyez-vous que l'habit m'aille bien ?

Maître tailleur. – Belle demande ! Je défie un peintre avec son pinceau, de vous faire rien de plus juste. J'ai chez
455 moi un garçon qui, pour monter une rhingrave[1], est le plus grand génie du monde ; et un autre qui, pour assembler un pourpoint[2], est le héros de notre temps.

M. Jourdain. – La perruque et les plumes sont-elles comme il faut ?

460 Maître tailleur. – Tout est bien.

M. Jourdain, *en regardant l'habit du tailleur*. – Ah ! ah ! monsieur le tailleur, voilà de mon étoffe[3] du dernier habit que vous m'avez fait. Je la reconnais bien.

Maître tailleur. – C'est que l'étoffe me sembla si belle que
465 j'en ai voulu lever un habit pour moi.

M. Jourdain. – Oui, mais il ne fallait pas le lever avec le mien[4].

Maître tailleur. – Voulez-vous mettre votre habit ?

M. Jourdain. – Oui, donnez-moi.

470 Maître tailleur. – Attendez. Cela ne va pas comme cela. J'ai amené des gens pour vous habiller en cadence, et ces sortes d'habits se mettent avec cérémonie. Holà ! entrez, vous autres. Mettez cet habit à monsieur, de la manière que vous faites aux personnes de qualité.

---

1. *Rhingrave* : pantalon court, très large, serré aux genoux par des rubans.
2. *Pourpoint* : partie de l'habit qui couvre la poitrine, du cou jusqu'à la ceinture.
3. *Étoffe* : tissu.
4. *Le lever avec le mien* : faire votre habit avec le tissu du mien.

475 *Quatre garçons tailleurs entrent, dont deux lui arrachent le haut-*
de-chausses de ses exercices[1]*, et deux autres la camisole ; puis ils*
lui mettent son habit neuf ; et M. Jourdain se promène entre eux, et
leur montre son habit, pour voir s'il est bien. Le tout à la cadence
de toute la symphonie[2]*.*

480 GARÇON TAILLEUR. – Mon gentilhomme[3], donnez, s'il vous
plaît, aux garçons quelque chose pour boire.

M. JOURDAIN. – Comment m'appelez-vous ?

GARÇON TAILLEUR. – Mon gentilhomme.

M. JOURDAIN. – «Mon gentilhomme» ! Voilà ce que c'est de
485 se mettre en personne de qualité. Allez-vous-en demeurer
toujours habillé en bourgeois, on ne vous dira point :
«Mon gentilhomme». Tenez[4], voilà pour «Mon gentilhomme».

GARÇON TAILLEUR. – Monseigneur, nous vous sommes bien
490 obligés.

M. JOURDAIN. – «Monseigneur» ! oh ! oh ! oh ! «Monseigneur» ! Attendez, mon ami : «Monseigneur» mérite
quelque chose, et ce n'est pas une petite parole que
«Monseigneur.» Tenez, voilà ce que Monseigneur vous
495 donne.

GARÇON TAILLEUR. – Monseigneur, nous allons boire tous à
la santé de Votre Grandeur.

M. JOURDAIN. – «Votre Grandeur» ! Oh ! oh ! oh ! Attendez,
ne vous en allez pas. À moi, «Votre Grandeur» ! Ma foi,

---

1. *De ses exercices* : qu'il avait enfilé pour s'entraîner au fleuret.

2. Il s'agit ici d'une gavotte, c'est-à-dire d'un morceau vif et rapide.

3. **Gentilhomme** est un titre donné à un noble de naissance ; ***Monseigneur*** (l. 489) est réservé aux personnes de haute noblesse ; ***Votre
Grandeur*** (l. 496) aux grands seigneurs ; ***Votre Altesse*** (l. 500) aux
princes et aux rois.

4. M. Jourdain donne un pourboire au garçon tailleur.

500   s'il va jusqu'à l'Altesse, il aura toute la bourse. Tenez, voilà pour Ma Grandeur.

GARÇON TAILLEUR. – Monseigneur, nous la remercions très humblement de ses libéralités[1].

M. JOURDAIN. – Il a bien fait : je lui allais tout donner.

505   *Les quatre garçons tailleurs se réjouissent par une danse qui fait le second intermède.*

---

1. *Libéralités* : générosités.

Acte III

Scène première

M. JOURDAIN, LAQUAIS

M. JOURDAIN. – Suivez-moi, que j'aille un peu montrer mon
  habit par la ville; et surtout ayez soin tous deux de
  marcher immédiatement sur mes pas, afin qu'on voie
  bien que vous êtes à moi.

5 LAQUAIS. – Oui, monsieur.

  M. JOURDAIN. – Appelez-moi Nicole, que je lui donne quelques
  ordres. Ne bougez, la voilà.

Scène 2

NICOLE, M. JOURDAIN, LAQUAIS

  M. JOURDAIN. – Nicole!

  NICOLE. – Plaît-il[1]?

10 M. JOURDAIN. – Écoutez.

  NICOLE. – Hi, hi, hi, hi, hi.

---

1. *Plaît-il?* : que voulez-vous? Que puis-je pour vous?

M. JOURDAIN. – Qu'as-tu à rire ?

NICOLE. – Hi, hi, hi, hi, hi, hi.

M. JOURDAIN. – Que veut dire cette coquine-là ?

15 NICOLE. – Hi, hi, hi. Comme vous voilà bâti[1] ! Hi, hi, hi.

M. JOURDAIN. – Comment donc ?

NICOLE. – Ah, ah ! mon Dieu ! Hi, hi, hi, hi, hi.

M. JOURDAIN. – Quelle friponne est-ce là ! Te moques-tu de moi ?

20 NICOLE. – Nenni[2], monsieur, j'en serais bien fâchée. Hi, hi, hi, hi, hi, hi.

M. JOURDAIN. – Je te baillerai[3] sur le nez, si tu ris davantage.

NICOLE. – Monsieur, je ne puis pas m'en empêcher. Hi, hi, hi, hi, hi, hi.

25 M. JOURDAIN. – Tu ne t'arrêteras pas ?

NICOLE. – Monsieur, je vous demande pardon ; mais vous êtes si plaisant, que je ne saurais me tenir[4] de rire. Hi, hi, hi.

M. JOURDAIN. – Mais voyez quelle insolence.

30 NICOLE. – Vous êtes tout à fait drôle comme cela. Hi, hi.

M. JOURDAIN. – Je te…

NICOLE. – Je vous prie de m'excuser. Hi, hi, hi, hi.

M. JOURDAIN. – Tiens, si tu ris encore le moins du monde, je te jure que je t'appliquerai sur la joue le plus grand
35   soufflet[5] qui se soit jamais donné.

NICOLE. – Hé bien, monsieur, voilà qui est fait, je ne rirai plus.

---

1. _Bâti_ : accoutré, déguisé.
2. _Nenni_ : non.
3. _Baillerai_ : donnerai des coups.
4. _Tenir_ : retenir.
5. _Soufflet_ : gifle.

M. JOURDAIN. – Prends-y bien garde. Il faut que pour tantôt tu nettoies…

40 NICOLE. – Hi, hi.

M. JOURDAIN. – Que tu nettoies comme il faut…

NICOLE. – Hi, hi.

M. JOURDAIN. – Il faut, dis-je, que tu nettoies la salle, et…

NICOLE. – Hi, hi.

45 M. JOURDAIN. – Encore !

NICOLE. – Tenez, monsieur, battez-moi plutôt et me laissez rire tout mon soûl[1], cela me fera plus de bien. Hi, hi, hi, hi, hi.

M. JOURDAIN. – J'enrage.

50 NICOLE. – De grâce, monsieur, je vous prie de me laisser rire. Hi, hi, hi.

M. JOURDAIN. – Si je te prends…

NICOLE. – Monsieur, eur, je crèverai, ai, si je ne ris. Hi, hi, hi.

M. JOURDAIN. – Mais a-t-on jamais vu une pendarde[2] comme

55 celle-là ? Qui me vient rire insolemment au nez, au lieu de recevoir mes ordres ?

NICOLE. – Que voulez-vous que je fasse, monsieur ?

M. JOURDAIN. – Que tu songes, coquine, à préparer ma maison pour la compagnie[3] qui doit venir tantôt.

60 NICOLE. – Ah ! par ma foi ! je n'ai plus envie de rire ; et toutes vos compagnies font tant de désordre céans que ce mot est assez pour me mettre en mauvaise humeur.

M. JOURDAIN. – Ne dois-je point pour toi fermer ma porte à tout le monde ?

65 NICOLE. – Vous devriez au moins la fermer à certaines gens.

---

1. *Tout mon soûl* : autant que je le veux.
2. *Pendarde* : insolente, tellement mauvaise qu'elle mérite d'être pendue.
3. *Compagnie* : groupe d'amis.

Scène 3

MME JOURDAIN, M. JOURDAIN,
NICOLE, LAQUAIS

MME JOURDAIN. – Ah, ah! voici une nouvelle histoire. Qu'est-ce que c'est donc, mon mari, que cet équipage[1]-là? Vous moquez-vous du monde, de vous être fait enharnacher[2] de la sorte? et avez-vous envie qu'on se
70   raille[3] partout de vous?

M. JOURDAIN. – Il n'y a que des sots et des sottes, ma femme, qui se railleront de moi.

MME JOURDAIN. – Vraiment on n'a pas attendu jusqu'à cette heure, et il y a longtemps que vos façons de faire donnent
75   à rire à tout le monde.

M. JOURDAIN. – Qui est donc tout ce monde-là, s'il vous plaît?

MME JOURDAIN. – Tout ce monde-là est un monde qui a raison, et qui est plus sage que vous. Pour moi, je suis
80   scandalisée de la vie que vous menez. Je ne sais plus ce que c'est que notre maison: on dirait qu'il est céans carême-prenant[4] tous les jours; et dès le matin, de peur d'y manquer, on y entend des vacarmes de violons et de chanteurs, dont tout le voisinage se trouve
85   incommodé.

---

1. Équipage : ici, habit.
2. Enharnacher : habiller de façon grotesque.
3. Raille : moque.
4. Qu'il est céans carême-prenant : que, ici, c'est mardi gras (c'est-à-dire un des trois jours de carnaval précédant le jeûne du carême, au cours desquels on faisait la fête).

NICOLE. – Madame parle bien. Je ne saurais plus voir mon ménage propre[1], avec cet attirail de gens que vous faites venir chez vous. Ils ont des pieds qui vont chercher de la boue dans tous les quartiers de la ville, pour l'apporter ici ; et la pauvre Françoise est presque sur les dents[2], à frotter les planchers que vos biaux[3] maîtres viennent crotter[4] régulièrement tous les jours.

M. JOURDAIN. – Ouais[5], notre servante Nicole, vous avez le caquet bien affilé[6] pour une paysanne.

MME JOURDAIN. – Nicole a raison, et son sens[7] est meilleur que le vôtre. Je voudrais bien savoir ce que vous pensez faire d'un maître à danser à l'âge que vous avez.

NICOLE. – Et d'un grand maître tireur d'armes, qui vient, avec ses battements de pied, ébranler toute la maison, et nous déraciner tous les carriaux[8] de notre salle ?

M. JOURDAIN. – Taisez-vous, ma servante, et ma femme.

MME JOURDAIN. – Est-ce que vous voulez apprendre à danser pour quand vous n'aurez plus de jambes ?

NICOLE. – Est-ce que vous avez envie de tuer quelqu'un ?

M. JOURDAIN. – Taisez-vous, vous dis-je : vous êtes des ignorantes l'une et l'autre, et vous ne savez pas les prérogatives[9] de tout cela.

---

1. *Je ne saurais plus voir mon ménage propre* : je ne réussis plus à garder la maison propre.
2. *Sur les dents* : morte de fatigue.
3. *Biaux* : patois pour «beaux».
4. *Crotter* : salir.
5. *Ouais* : expression qui marque la surprise (elle n'est pas vulgaire).
6. *Vous avez le caquet bien affilé* : vous avez la langue bien pendue, c'est-à-dire «vous êtes bien insolente».
7. *Son sens* : son bon sens, sa raison.
8. *Carriaux* : patois pour «carreaux».
9. *Prérogatives* : privilèges, avantages.

MME JOURDAIN. – Vous devriez bien plutôt songer à marier votre fille, qui est en âge d'être pourvue[1].

110 M. JOURDAIN. – Je songerai à marier ma fille quand il se présentera un parti[2] pour elle ; mais je veux songer aussi à apprendre les belles choses.

NICOLE. – J'ai encore ouï[3] dire, madame, qu'il a pris aujourd'hui pour renfort de potage[4] un maître de philo-115 sophie.

M. JOURDAIN. – Fort bien : je veux avoir de l'esprit, et savoir raisonner des choses parmi les honnêtes gens.

MME JOURDAIN. – N'irez-vous point l'un de ces jours au collège vous faire donner le fouet, à votre âge ?

120 M. JOURDAIN. – Pourquoi non ? Plût à Dieu l'avoir tout à l'heure[5] le fouet, devant tout le monde, et savoir ce qu'on apprend au collège !

NICOLE. – Oui, ma foi ! Cela vous rendrait la jambe bien mieux faite[6].

125 M. JOURDAIN. – Sans doute.

MME JOURDAIN. – Tout cela est fort nécessaire pour conduire votre maison.

M. JOURDAIN. – Assurément. Vous parlez toutes deux comme des bêtes, et j'ai honte de votre ignorance. Par exemple, 130 savez-vous, vous, ce que c'est que vous dites à cette heure ?

---

1. *Pourvue* : mariée.

2. *Parti* : mari.

3. *Ouï* : entendu.

4. *Pour renfort de potage* : pour couronner le tout, pour comble de folie (expression populaire).

5. *Tout à l'heure* : tout de suite.

6. *Cela vous rendrait la jambe bien mieux faite* : cela vous ferait une belle jambe (expression populaire).

MME JOURDAIN. – Oui, je sais que ce que je dis est fort bien dit, et que vous devriez songer à vivre d'autre sorte[1].

M. JOURDAIN. – Je ne parle pas de cela. Je vous demande ce que c'est que les paroles que vous dites ici ?

MME JOURDAIN. – Ce sont des paroles bien sensées, et votre conduite ne l'est guère.

M. JOURDAIN. – Je ne parle pas de cela, vous dis-je. Je vous demande : ce que je parle avec vous, ce que je vous dis à cette heure, qu'est-ce que c'est ?

MME JOURDAIN. – Des chansons[2].

M. JOURDAIN. – Hé non ! ce n'est pas cela. Ce que nous disons tous deux, le langage que nous parlons à cette heure ?

MME JOURDAIN. – Hé bien ?

M. JOURDAIN. – Comment est-ce que cela s'appelle ?

MME JOURDAIN. – Cela s'appelle comme on veut l'appeler.

M. JOURDAIN. – C'est de la prose, ignorante.

MME JOURDAIN. – De la prose ?

M. JOURDAIN. – Oui, de la prose. Tout ce qui est prose n'est point vers ; et tout ce qui n'est point vers n'est point prose[3]. Heu, voilà ce que c'est d'étudier. Et toi, sais-tu bien comme il faut faire pour dire un U ?

NICOLE. – Comment ?

M. JOURDAIN. – Oui. Qu'est-ce que tu fais quand tu dis un U ?

NICOLE. – Quoi ?

M. JOURDAIN. – Dis un peu U, pour voir ?

---

1. *D'autre sorte* : autrement.

2. *Chansons* : propos sans intérêt, sottises.

3. M. Jourdain emploie ici une négation de trop, signe que la leçon n'est pas encore maîtrisée.

NICOLE. – Hé bien, U.

160 M. JOURDAIN. – Qu'est-ce que tu fais ?

NICOLE. – Je dis U.

M. JOURDAIN. – Oui ; mais quand tu dis U, qu'est-ce que tu fais ?

NICOLE. – Je fais ce que vous me dites.

165 M. JOURDAIN. – Ô l'étrange chose que d'avoir affaire à des bêtes ! Tu allonges les lèvres en dehors, et approches la mâchoire d'en haut de celle d'en bas : U, vois-tu ? Je fais la moue : U.

NICOLE. – Oui, cela est biau.

170 MME JOURDAIN. – Voilà qui est admirable.

M. JOURDAIN. – C'est bien autre chose, si vous aviez vu O, et Da, Da, et Fa, Fa.

MME JOURDAIN. – Qu'est-ce donc que tout ce galimatias[1]-là ?

NICOLE. – De quoi est-ce que tout cela guérit ?

175 M. JOURDAIN. – J'enrage quand je vois des femmes ignorantes.

MME JOURDAIN. – Allez, vous devriez envoyer promener tous ces gens-là, avec leurs fariboles[2].

NICOLE. – Et surtout ce grand escogriffe[3] de maître d'armes,
180 qui remplit de poudre[4] tout mon ménage.

M. JOURDAIN. – Ouais, ce maître d'armes vous tient fort au cœur[5]. Je te veux faire voir[6] ton impertinence tout à l'heure. (*Il fait apporter les fleurets et en donne à Nicole.*)

---

1. *Galimaltias* : discours incompréhensible.

2. *Fariboles* : propos sans intérêt.

3. *Escogriffe* : homme très grand et d'allure disgracieuse (terme péjoratif).

4. *Poudre* : poussière.

5. *Vous tient fort au cœur* : vous déplaît beaucoup.

6. *Je te veux faire voir* : je veux te faire voir.

Tiens. Raison démonstrative, la ligne du corps. Quand
185   on pousse en quarte, on n'a qu'à faire cela, et quand on
pousse en tierce, on n'a qu'à faire cela. Voilà le moyen de
n'être jamais tué ; et cela n'est-il pas beau, d'être assuré
de son fait, quand on se bat contre quelqu'un ? Là,
pousse-moi un peu pour voir.

190 NICOLE. – Hé bien, quoi ?

Nicole lui pousse plusieurs coups.

M. JOURDAIN. – Tout beau, holà, oh ! doucement. Diantre
soit la coquine !

NICOLE. – Vous me dites de pousser.

195 M. JOURDAIN. – Oui ; mais tu me pousses en tierce, avant
que de pousser en quarte, et tu n'as pas la patience que
je pare.

MME JOURDAIN. – Vous êtes fou, mon mari, avec toutes vos
fantaisies, et cela vous est venu depuis que vous vous
200   mêlez de hanter¹ la noblesse.

M. JOURDAIN. – Lorsque je hante la noblesse, je fais paraître
mon jugement², et cela est plus beau que de hanter votre
bourgeoisie.

MME JOURDAIN. – Çamon³ vraiment ! il y a fort à gagner à
205   fréquenter vos nobles, et vous avez bien opéré avec ce beau
monsieur le comte dont vous vous êtes embéguiné⁴.

M. JOURDAIN. – Paix ! Songez à ce que vous dites. Savez-
vous bien, ma femme, que vous ne savez pas de qui vous
parlez, quand vous parlez de lui ? C'est une personne
210   d'importance plus que vous ne pensez, un seigneur que

---

1. *Hanter* : fréquenter.
2. *Jugement* : ici, esprit, intelligence.
3. *Çamon* : ah oui ! (expression populaire qui renforce « vraiment »).
4. *Embéguiné* : entiché (terme péjoratif).

l'on considère à la cour, et qui parle au roi tout comme je vous parle. N'est-ce pas une chose qui m'est tout à fait honorable, que l'on voie venir chez moi si souvent une personne de cette qualité, qui m'appelle son cher ami, et me traite comme si j'étais son égal? Il a pour moi des bontés qu'on ne devinerait jamais; et, devant tout le monde, il me fait des caresses[1] dont je suis moi-même confus.

Mme JOURDAIN. – Oui, il a des bontés pour vous, et vous fait des caresses; mais il vous emprunte votre argent.

M. JOURDAIN. – Hé bien! ne m'est-ce pas de l'honneur, de prêter de l'argent à un homme de cette condition-là? et puis-je faire moins pour un seigneur qui m'appelle son cher ami?

Mme JOURDAIN. – Et ce seigneur, que fait-il pour vous?

M. JOURDAIN. – Des choses dont on serait étonné, si on les savait.

Mme JOURDAIN. – Et quoi?

M. JOURDAIN. – Baste[2], je ne puis pas m'expliquer. Il suffit que si je lui ai prêté de l'argent, il me le rendra bien, et avant qu'il soit peu[3].

Mme JOURDAIN. – Oui, attendez-vous à cela.

M. JOURDAIN. – Assurément : ne me l'a-t-il pas dit?

Mme JOURDAIN. – Oui, oui : il ne manquera pas d'y faillir[4].

M. JOURDAIN. – Il m'a juré sa foi de gentilhomme.

Mme JOURDAIN. – Chansons.

---

1. *Caresses* : démonstrations d'amitié, flatteries.
2. *Baste* : cela suffit !
3. *Avant qu'il soit peu* : bientôt.
4. *Il ne manquera pas d'y faillir* : à coup sûr, il ne tiendra pas ses engagements.

M. JOURDAIN. – Ouais, vous êtes bien obstinée, ma femme. Je vous dis qu'il me tiendra parole, j'en suis sûr.

MME JOURDAIN. – Et moi, je suis sûre que non, et que
240 toutes les caresses qu'il vous fait ne sont que pour vous enjôler[1].

M. JOURDAIN. – Taisez-vous : le voici.

MME JOURDAIN. – Il ne nous faut plus que cela. Il vient peut-être encore vous faire quelque emprunt ; et il me semble
245 que j'ai dîné[2] quand je le vois.

M. JOURDAIN. – Taisez-vous, vous dis-je.

Scène 4

DORANTE, M. JOURDAIN, MME JOURDAIN, NICOLE

DORANTE. – Mon cher ami, M. Jourdain, comment vous portez-vous ?

M. JOURDAIN. – Fort bien, monsieur, pour vous rendre mes
250 petits services.

DORANTE. – Et Mme Jourdain que voilà, comment se porte-t-elle ?

MME JOURDAIN. – Mme Jourdain se porte comme elle peut.

DORANTE. – Comment, M. Jourdain ? vous voilà le plus
255 propre[3] du monde !

M. JOURDAIN. – Vous voyez.

---

1. *Enjôler* : tromper.
2. *Il me semble que j'ai dîné* : cela me coupe l'appétit.
3. *Propre* : élégant.

DORANTE. – Vous avez tout à fait bon air avec cet habit, et nous n'avons point de jeunes gens à la cour qui soient mieux faits que vous.

260 M. JOURDAIN. – Hay, hay.

MME JOURDAIN. – Il le gratte par où il se démange[1].

DORANTE. – Tournez-vous. Cela est tout à fait galant.

MME JOURDAIN. – Oui, aussi sot par-derrière que par-devant.

DORANTE. – Ma foi ! M. Jourdain, j'avais une impatience
265 étrange[2] de vous voir. Vous êtes l'homme du monde que j'estime le plus, et je parlais de vous encore ce matin dans la chambre du roi.

M. JOURDAIN. – Vous me faites beaucoup d'honneur, monsieur. *(À Mme Jourdain.)* Dans la chambre du roi !

270 DORANTE. – Allons, mettez[3]…

M. JOURDAIN. – Monsieur, je sais le respect que je vous dois.

DORANTE. – Mon Dieu ! mettez : point de cérémonie entre nous, je vous prie.

275 M. JOURDAIN. – Monsieur…

DORANTE. – Mettez, vous dis-je, M. Jourdain : vous êtes mon ami.

M. JOURDAIN. – Monsieur, je suis votre serviteur.

DORANTE. – Je ne me couvrirai point, si vous ne vous
280 couvrez.

M. JOURDAIN. – J'aime mieux être incivil[4] qu'importun[5].

---

1. *Il le gratte par où il se démange* : il le caresse dans le sens du poil.
2. *Étrange* : très forte.
3. *Mettez* : mettez votre chapeau (on enlève son chapeau en signe de respect).
4. *Incivil* : impoli.
5. *Importun* : agaçant.

DORANTE. – Je suis votre débiteur[1], comme vous le savez.

MME JOURDAIN. – Oui, nous ne le savons que trop.

DORANTE. – Vous m'avez généreusement prêté de l'argent
285   en plusieurs occasions, et m'avez obligé[2] de la meilleure
        grâce du monde, assurément.

M. JOURDAIN. – Monsieur, vous vous moquez.

DORANTE. – Mais je sais rendre ce qu'on me prête, et recon-
        naître les plaisirs qu'on me fait.

290 M. JOURDAIN. – Je n'en doute point, monsieur.

DORANTE. – Je veux sortir d'affaire avec vous, et je viens ici
        pour faire nos comptes ensemble.

M. JOURDAIN. – Hé bien ! vous voyez votre impertinence, ma
        femme.

295 DORANTE. – Je suis homme qui aime à m'acquitter[3] le plus
        tôt que je puis.

M. JOURDAIN. – Je vous le disais bien.

DORANTE. – Voyons un peu ce que je vous dois.

M. JOURDAIN. – Vous voilà, avec vos soupçons ridicules.

300 DORANTE. – Vous souvenez-vous bien de tout l'argent que
        vous m'avez prêté ?

M. JOURDAIN. – Je crois que oui. J'en ai fait un petit mémoire[4].
        Le voici. Donné à vous une fois deux cents louis[5].

DORANTE. – Cela est vrai.

305 M. JOURDAIN. – Une autre fois, six-vingts[6].

---

1. Débiteur : celui qui doit quelque chose, ici, de l'argent.

2. M'avez obligé : m'avez rendu service.

3. M'acquitter : régler mes dettes.

4. Mémoire : carnet dans lequel on note ce dont on doit se souvenir.

5. Le louis est une monnaie d'or qui vaut légèrement moins que la
pistole mais plus que la livre (ou franc), qui elle-même vaut plus que le
sol, lequel vaut plus que le denier.

6. Six-vingts : six fois vingt, soit cent vingt.

DORANTE. – Oui.

M. JOURDAIN. – Et une autre fois, cent quarante.

DORANTE. – Vous avez raison.

M. JOURDAIN. – Ces trois articles font quatre cent soixante
310   louis, qui valent cinq mille soixante livres.

DORANTE. – Le compte est fort bon. Cinq mille soixante
    livres.

M. JOURDAIN. – Mille huit cent trente-deux livres à votre
    plumassier[1].

315 DORANTE. – Justement[2].

M. JOURDAIN. – Deux mille sept cent quatre-vingts livres à
    votre tailleur.

DORANTE. – Il est vrai.

M. JOURDAIN. – Quatre mille trois cent septante-neuf[3] livres
320   douze sols huit deniers à votre marchand.

DORANTE. – Fort bien. Douze sols huit deniers : le compte
    est juste.

M. JOURDAIN. – Et mille sept cent quarante-huit livres sept
    sols quatre deniers à votre sellier[4].

325 DORANTE. – Tout cela est véritable. Qu'est-ce que cela fait ?

M. JOURDAIN. – Somme totale, quinze mille huit cents
    livres.

DORANTE. – Somme totale est juste : quinze mille huit cents
    livres. Mettez encore deux cents pistoles que vous m'allez
330   donner, cela fera justement dix-huit mille francs, que je
    vous payerai au premier jour.

MME JOURDAIN. – Hé bien ! ne l'avais-je pas bien deviné ?

---

1. Plumassier : marchand de plumes.

2. Justement : tout cela est exact.

3. Septante-neuf : soixante-dix-neuf.

4. Sellier : fabricant de selles.

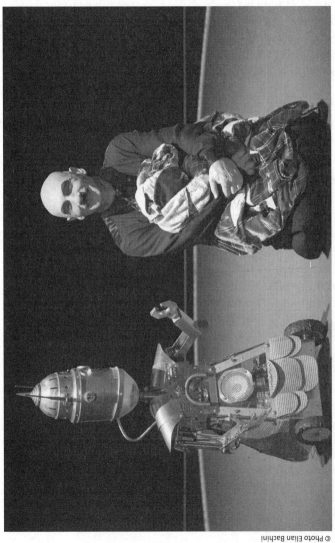

■ M. Jourdain (Philippe Car) et Dorante (joué par un robot) dans la mise en scène de Philippe Car (compagnie Agence de Voyages Imaginaires), en 2009.

M. JOURDAIN. – Paix !

DORANTE. – Cela vous incommodera-t-il, de me donner ce
335   que je vous dis ?

M. JOURDAIN. – Eh non !

MME JOURDAIN. – Cet homme-là fait de vous une vache à
lait[1].

M. JOURDAIN. – Taisez-vous.

340 DORANTE. – Si cela vous incommode, j'en irai chercher
ailleurs.

M. JOURDAIN. – Non, monsieur.

MME JOURDAIN. – Il ne sera pas content, qu'il ne vous ait
ruiné[2].

345 M. JOURDAIN. – Taisez-vous, vous dis-je.

DORANTE. – Vous n'avez qu'à me dire si cela vous embarrasse.

M. JOURDAIN. – Point, monsieur.

MME JOURDAIN. – C'est un vrai enjôleur[3].

350 M. JOURDAIN. – Taisez-vous donc.

MME JOURDAIN. – Il vous sucera jusqu'au dernier sou.

M. JOURDAIN. – Vous tairez-vous ?

DORANTE. – J'ai force[4] gens qui m'en prêteraient avec joie ;
mais, comme vous êtes mon meilleur ami, j'ai cru que je
355 vous ferais tort si j'en demandais à quelque autre.

M. JOURDAIN. – C'est trop d'honneur, monsieur, que vous
me faites. Je vais quérir[5] votre affaire.

---

1. *Vache à lait* : expression qui désigne une personne dont on tire un
profit continuel (comme une vache dont on tire le lait).

2. *Qu'il ne vous ait ruiné* : avant de vous avoir ruiné.

3. *Enjôleur* : qui séduit pour tromper.

4. *Force* : beaucoup de.

5. *Quérir* : chercher.

MME JOURDAIN. – Quoi ? vous allez encore lui donner cela ?

M. JOURDAIN. – Que faire ? voulez-vous que je refuse un homme de cette condition-là, qui a parlé de moi ce matin dans la chambre du roi ?

MME JOURDAIN. – Allez, vous êtes une vraie dupe[1].

Scène 5

DORANTE, MME JOURDAIN, NICOLE

DORANTE. – Vous me semblez toute mélancolique : qu'avez-vous, Mme Jourdain ?

MME JOURDAIN. – J'ai la tête plus grosse que le poing, et si[2] elle n'est pas enflée.

DORANTE. – Mademoiselle votre fille, où est-elle, que je ne la vois point ?

MME JOURDAIN. – Mademoiselle ma fille est bien où elle est.

DORANTE. – Comment se porte-t-elle ?

MME JOURDAIN. – Elle se porte sur ses deux jambes.

DORANTE. – Ne voulez-vous point un de ces jours venir voir, avec elle, le ballet et la comédie que l'on fait chez le roi ?

MME JOURDAIN. – Oui vraiment, nous avons fort envie de rire, fort envie de rire nous avons.

DORANTE. – Je pense, Mme Jourdain, que vous avez eu bien des amants[3] dans votre jeune âge, belle et d'agréable humeur comme vous étiez.

---

1. *Dupe* : homme facile à tromper.

2. *Et si* : et pourtant.

3. *Amants* : ici, prétendants.

MME JOURDAIN. – Trédame[1], monsieur, est-ce que Mme Jourdain
380   est décrépite[2], et la tête lui grouille[3]-t-elle déjà ?

DORANTE. – Ah, ma foi ! Mme Jourdain, je vous demande
pardon. Je ne songeais pas que vous êtes jeune, et je
rêve[4] le plus souvent. Je vous prie d'excuser mon impertinence.

Scène 6

M. JOURDAIN, MME JOURDAIN,
DORANTE, NICOLE

385   M. JOURDAIN. – Voilà deux cents louis bien comptés.

DORANTE. – Je vous assure, M. Jourdain, que je suis tout à
vous, et que je brûle[5] de vous rendre un service à la cour.

M. JOURDAIN. – Je vous suis trop obligé.

DORANTE. – Si Mme Jourdain veut voir le divertissement[6]
390   royal, je lui ferai donner les meilleures places de la salle.

MME JOURDAIN. – Mme Jourdain vous baise les mains[7].

DORANTE, *bas, à M. Jourdain.* – Notre belle marquise, comme
je vous ai mandé[8] par mon billet, viendra tantôt ici pour

---

1. *Trédame* : abréviation de «Notre-Dame» (juron populaire).
2. *Décrépite* : très vieille.
3. *Grouille* : tremble.
4. *Je rêve* : je suis distrait.
5. *Brûle* : meurs d'envie.
6. *Divertissement* : pièce de théâtre avec danses et chants.
7. *Vous baise les main*s : vous remercie (formule de politesse qui peut
être ironique).
8. *Mandé* : ici, fait savoir.

le ballet et le repas et je l'ai fait consentir enfin au cadeau[1]
395 que vous lui voulez donner.

M. JOURDAIN. – Tirons-nous[2] un peu plus loin, pour causer.

DORANTE. – Il y a huit jours que je ne vous ai vu, et je ne
vous ai point mandé de nouvelles du diamant que vous
me mîtes entre les mains pour lui en faire présent de votre
400 part ; mais c'est que j'ai eu toutes les peines du monde
à vaincre son scrupule, et ce n'est que d'aujourd'hui
qu'elle s'est résolue à l'accepter.

M. JOURDAIN. – Comment l'a-t-elle trouvé ?

DORANTE. – Merveilleux ; et je me trompe fort, ou la beauté
405 de ce diamant fera pour vous sur son esprit un effet
admirable.

M. JOURDAIN. – Plût au Ciel !

MME JOURDAIN. – Quand il est une fois avec lui, il ne peut
le quitter.

410 DORANTE. – Je lui ai fait valoir comme il faut la richesse de
ce présent et la grandeur de votre amour.

M. JOURDAIN. – Ce sont, monsieur, des bontés qui m'accablent[3] ; et je suis dans une confusion la plus grande du
monde, de voir une personne de votre qualité s'abaisser
415 pour moi à ce que vous faites.

DORANTE. – Vous moquez-vous ? Est-ce qu'entre amis on
s'arrête à ces sortes de scrupules ? et ne feriez-vous pas
pour moi la même chose, si l'occasion s'en offrait ?

M. JOURDAIN. – Ho ! assurément, et de très grand cœur.

420 MME JOURDAIN. – Que sa présence me pèse sur les épaules !

---

1. *Cadeau* : petite fête.

2. *Tirons-nous* : retirons-nous.

3. *Qui m'accablent* : qui sont trop généreuses.

DORANTE. – Pour moi, je ne regarde rien, quand il faut servir un ami ; et lorsque vous me fîtes confidence de l'ardeur[1] que vous aviez prise pour cette marquise agréable chez qui j'avais commerce[2], vous vîtes que d'abord je m'offris

425 de moi-même à servir votre amour.

M. JOURDAIN. – Il est vrai, ce sont des bontés qui me confondent[3].

MME JOURDAIN. – Est-ce qu'il ne s'en ira point ?

NICOLE. – Ils se trouvent bien ensemble.

430 DORANTE. – Vous avez pris le bon biais[4] pour toucher son cœur : les femmes aiment surtout les dépenses qu'on fait pour elles ; et vos fréquentes sérénades, et vos bouquets continuels, ce superbe feu d'artifice qu'elle trouva sur l'eau, le diamant qu'elle a reçu de votre part, et le régale[5]

435 que vous lui préparez, tout cela lui parle bien mieux en faveur de votre amour que toutes les paroles que vous auriez pu lui dire vous-même.

M. JOURDAIN. – Il n'y a point de dépenses que je ne fisse, si par là je pouvais trouver le chemin de son cœur. Une

440 femme de qualité a pour moi des charmes ravissants, et c'est un honneur que j'achèterais au prix de toute chose.

MME JOURDAIN. – Que peuvent-ils tant dire ensemble ? Va-t'en un peu tout doucement prêter l'oreille.

DORANTE. – Ce sera tantôt que vous jouirez à votre aise du

445 plaisir de sa vue, et vos yeux auront tout le temps de se satisfaire.

---

1. *Ardeur* : passion amoureuse.
2. *Chez qui j'avais commerce* : que je fréquentais.
3. *Qui me confondent* : qui me rendent plein de reconnaissance.
4. *Biais* : moyen.
5. *Régale* : spectacle offert par un hôte à ses invités.

M. Jourdain. – Pour être en pleine liberté, j'ai fait en sorte que ma femme ira dîner chez sa sœur, où elle passera toute l'après-dînée[1].

450 Dorante. – Vous avez fait prudemment, et votre femme aurait pu nous embarrasser. J'ai donné pour vous l'ordre qu'il faut au cuisinier, et à toutes les choses qui sont nécessaires pour le ballet. Il est de mon invention; et pourvu que l'exécution puisse répondre à l'idée, je suis 455 sûr qu'il sera trouvé…

M. Jourdain *s'aperçoit que Nicole écoute, et lui donne un soufflet.* – Ouais, vous êtes bien impertinente. Sortons, s'il vous plaît.

Scène 7

Mme Jourdain, Nicole

Nicole. – Ma foi ! madame, la curiosité m'a coûté quelque 460 chose; mais je crois qu'il y a quelque anguille sous roche[2], et ils parlent de quelque affaire où ils ne veulent pas que vous soyez.

Mme Jourdain. – Ce n'est pas d'aujourd'hui, Nicole, que j'ai conçu des soupçons de mon mari. Je suis la plus trompée 465 du monde[3], ou il y a quelque amour en campagne[4], et je travaille à découvrir ce que ce peut être. Mais songeons à

---

1. *Après-dînée* : temps qui suit le dîner (déjeuner), donc après-midi.
2. *Quelque anguille sous roche* : quelque chose de caché.
3. *Je suis la plus trompée du monde* : je me trompe complètement.
4. *En campagne* : en route.

ma fille. Tu sais l'amour que Cléonte a pour elle. C'est un homme qui me revient[1], et je veux aider sa recherche[2], et lui donner Lucile, si je puis.

470 NICOLE. – En vérité, madame, je suis la plus ravie du monde de vous voir dans ces sentiments; car, si le maître vous revient, le valet ne me revient pas moins, et je souhaiterais que notre mariage se pût faire à l'ombre du leur.

475 MME JOURDAIN. – Va-t'en lui en parler de ma part, et lui dire que tout à l'heure il me vienne trouver, pour faire ensemble à mon mari la demande[3] de ma fille.

NICOLE. – J'y cours, madame, avec joie, et je ne pouvais recevoir une commission plus agréable. Je vais, je pense,
480 bien réjouir les gens.

Scène 8

CLÉONTE, COVIELLE, NICOLE

NICOLE. – Ah! vous voilà tout à propos. Je suis une ambassadrice de joie, et je viens…

CLÉONTE. – Retire-toi, perfide[4], et ne me viens point amuser avec tes traîtresses paroles.

485 NICOLE. – Est-ce ainsi que vous recevez…?

---

1. *Qui me revient* : qui me plaît.
2. *Recherche* : cour (faite à Lucile).
3. *La demande* : la demande en mariage.
4. *Perfide* : traîtresse.

CLÉONTE. – Retire-toi, te dis-je, et va-t'en dire de ce pas à ton infidèle maîtresse qu'elle n'abusera[1] de sa vie le trop simple Cléonte.

NICOLE. – Quel vertigo[2] est-ce donc là ? Mon pauvre Covielle, dis-moi un peu ce que cela veut dire.

COVIELLE. – Ton pauvre Covielle, petite scélérate ! Allons vite, ôte-toi de mes yeux, vilaine, et me laisse en repos.

NICOLE. – Quoi ? tu me viens aussi…

COVIELLE. – Ôte-toi de mes yeux, te dis-je, et ne me parle de ta vie.

NICOLE. – Ouais ! Quelle mouche les a piqués tous deux ? Allons de cette belle histoire informer ma maîtresse.

Scène 9

CLÉONTE, COVIELLE

CLÉONTE. – Quoi ? traiter un amant de la sorte, et un amant le plus fidèle et le plus passionné de tous les amants ?

COVIELLE. – C'est une chose épouvantable, que ce qu'on nous fait à tous deux.

CLÉONTE. – Je fais voir pour une personne toute l'ardeur et toute la tendresse qu'on peut imaginer ; je n'aime rien au monde qu'elle, et je n'ai qu'elle dans l'esprit ; elle fait tous mes soins[3], tous mes désirs, toute ma joie ; je ne parle que d'elle, je ne pense qu'à elle, je ne fais des

---

1. *Abusera* : trompera.
2. *Vertigo* : caprice soudain.
3. *Soins* : soucis.

songes que d'elle, je ne respire que par elle, mon cœur vit tout en elle : et voilà de tant d'amitié la digne récompense ! Je suis deux jours sans la voir, qui sont pour moi deux siècles effroyables : je la rencontre par hasard ; mon cœur, à cette vue, se sent tout transporté, ma joie éclate sur mon visage, je vole avec ravissement vers elle ; et l'infidèle détourne de moi ses regards, et passe brusquement, comme si de sa vie elle ne m'avait vu !

COVIELLE. – Je dis les mêmes choses que vous.

CLÉONTE. – Peut-on rien voir d'égal, Covielle, à cette perfidie de l'ingrate Lucile ?

COVIELLE. – Et à celle, monsieur, de la pendarde de Nicole ?

CLÉONTE. – Après tant de sacrifices ardents, de soupirs, et de vœux que j'ai faits à ses charmes !

COVIELLE. – Après tant d'assidus hommages, de soins et de services que je lui ai rendus dans sa cuisine !

CLÉONTE. – Tant de larmes que j'ai versées à ses genoux !

COVIELLE. – Tant de seaux d'eau que j'ai tirés au puits pour elle !

CLÉONTE. – Tant d'ardeur que j'ai fait paraître à la chérir plus que moi-même !

COVIELLE. – Tant de chaleur que j'ai soufferte à tourner la broche à sa place !

CLÉONTE. – Elle me fuit avec mépris !

COVIELLE. – Elle me tourne le dos avec effronterie !

CLÉONTE. – C'est une perfidie digne des plus grands châtiments.

COVIELLE. – C'est une trahison à mériter mille soufflets.

CLÉONTE. – Ne t'avise point, je te prie, de me parler jamais pour elle.

COVIELLE. – Moi, monsieur ! Dieu m'en garde !

CLÉONTE. – Ne viens point m'excuser l'action de cette infidèle.

540 COVIELLE. – N'ayez pas peur.

CLÉONTE. – Non, vois-tu, tous tes discours pour la défendre ne serviront de rien.

COVIELLE. – Qui songe à cela ?

CLÉONTE. – Je veux contre elle conserver mon ressentiment,

545 et rompre ensemble tout commerce[1].

COVIELLE. – J'y consens[2].

CLÉONTE. – Ce monsieur le comte qui va chez elle lui donne peut-être dans la vue[3] ; et son esprit, je le vois bien, se laisse éblouir à la qualité[4]. Mais il me faut, pour mon

550 honneur, prévenir l'éclat[5] de son inconstance. Je veux faire autant de pas qu'elle au changement où je la vois courir, et ne lui laisser pas toute la gloire de me quitter.

COVIELLE. – C'est fort bien dit, et j'entre pour mon compte dans tous vos sentiments.

555 CLÉONTE. – Donne la main[6] à mon dépit[7], et soutiens ma résolution contre tous les restes d'amour qui me pourraient parler pour elle. Dis-m'en, je t'en conjure, tout le mal que tu pourras ; fais-moi de sa personne une peinture qui me la rende méprisable ; et marque-moi

560 bien, pour m'en dégoûter, tous les défauts que tu peux voir en elle.

---

1. *Tout commerce* : toute relation.

2. *J'y consens* : je suis d'accord.

3. *Lui donne* [...] *dans la vue* : l'éblouit.

4. *À la qualité* : par le titre de noblesse.

5. *Prévenir l'éclat* : éviter le scandale.

6. *Donne la main* : aide, porte secours.

7. *À mon dépit* : à mon chagrin mêlé de colère.

COVIELLE. – Elle, monsieur ! voilà une belle mijaurée[1] une pimpesouée[2] bien bâtie, pour vous donner tant d'amour ! Je ne lui vois rien que de très médiocre, et vous trouverez cent personnes qui seront plus dignes de vous. Premièrement, elle a les yeux petits.

CLÉONTE. – Cela est vrai, elle a les yeux petits ; mais elle les a pleins de feux, les plus brillants, les plus perçants du monde, les plus touchants qu'on puisse voir.

COVIELLE. – Elle a la bouche grande.

CLÉONTE. – Oui ; mais on y voit des grâces qu'on ne voit point aux autres bouches ; et cette bouche, en la voyant, inspire des désirs, est la plus attrayante, la plus amoureuse du monde.

COVIELLE. – Pour sa taille, elle n'est pas grande.

CLÉONTE. – Non ; mais elle est aisée et bien prise.

COVIELLE. – Elle affecte une nonchalance[3] dans son parler, et dans ses actions.

CLÉONTE. – Il est vrai ; mais elle a grâce à tout cela, et ses manières sont engageantes, ont je ne sais quel charme à s'insinuer dans les cœurs.

COVIELLE. – Pour de l'esprit…

CLÉONTE. – Ah ! elle en a, Covielle, du plus fin, du plus délicat.

COVIELLE. – Sa conversation…

CLÉONTE. – Sa conversation est charmante.

COVIELLE. – Elle est toujours sérieuse.

---

1. Mijaurée : femme au comportement ridicule (terme injurieux).
2. Pimpesouée : femme qui fait la délicate (terme familier).
3. Nonchalance : mollesse, abandon.

CLÉONTE. – Veux-tu de ces enjouements[1] épanouis, de ces joies toujours ouvertes ? et vois-tu rien de plus imperti-
590 nent[2] que des femmes qui rient à tout propos ?

COVIELLE. – Mais enfin elle est capricieuse autant que personne du monde.

CLÉONTE. – Oui, elle est capricieuse, j'en demeure d'accord ; mais tout sied bien[3] aux belles, on souffre[4] tout des
595 belles.

COVIELLE. – Puisque cela va comme cela, je vois bien que vous avez envie de l'aimer toujours.

CLÉONTE. – Moi, j'aimerais mieux mourir ; et je vais la haïr autant que je l'ai aimée.

600 COVIELLE. – Le moyen[5], si vous la trouvez si parfaite ?

CLÉONTE. – C'est en quoi ma vengeance sera plus éclatante, en quoi je veux faire mieux voir la force de mon cœur, à la haïr, à la quitter, toute belle, toute pleine d'attraits, toute aimable que je la trouve. La voici.

Scène 10

CLÉONTE, LUCILE, COVIELLE, NICOLE

605 NICOLE. – Pour moi, j'en ai été toute scandalisée.

LUCILE. – Ce ne peut être, Nicole, que ce que je te dis. Mais le voilà.

---

1. Enjouements : gaietés.
2. Impertinent : ici, déplacé.
3. Sied bien : va bien.
4. Souffre : supporte.
5. Le moyen : comment faire.

CLÉONTE. – Je ne veux pas seulement lui parler.

COVIELLE. – Je veux vous imiter.

610 LUCILE. – Qu'est-ce donc, Cléonte ? qu'avez-vous ?

NICOLE. – Qu'as-tu donc, Covielle ?

LUCILE. – Quel chagrin vous possède ?

NICOLE. – Quelle mauvaise humeur te tient ?

LUCILE. – Êtes-vous muet, Cléonte ?

615 NICOLE. – As-tu perdu la parole, Covielle ?

CLÉONTE. – Que voilà qui est scélérat !

COVIELLE. – Que cela est Judas[1] !

LUCILE. – Je vois bien que la rencontre de tantôt a troublé votre esprit.

620 CLÉONTE. – Ah ! ah ! on voit ce qu'on a fait.

NICOLE. – Notre accueil de ce matin t'a fait prendre la chèvre[2].

COVIELLE. – On a deviné l'enclouure[3].

LUCILE. – N'est-il pas vrai, Cléonte, que c'est là le sujet de
625 votre dépit ?

CLÉONTE. – Oui, perfide[4], ce l'est, puisqu'il faut parler ; et j'ai à vous dire que vous ne triompherez pas comme vous pensez de votre infidélité, que je veux être le premier à rompre avec vous, et que vous n'aurez pas l'avantage
630 de me chasser. J'aurai de la peine, sans doute, à vaincre l'amour que j'ai pour vous, cela me causera des chagrins, je souffrirai un temps ; mais j'en viendrai à bout, et je me percerai plutôt le cœur, que d'avoir la faiblesse de retourner à vous.

---

1. *Judas* : traître.

2. *Prendre la chèvre* : te mettre en colère pour rien.

3. *L'enclouure* : le point sensible ; au sens propre, la blessure faite au cheval par un clou pour fixer son sabot.

4. *Perfide* : traîtresse.

635 COVIELLE. – Queussi, queumi[1].

LUCILE. – Voilà bien du bruit pour un rien. Je veux vous dire, Cléonte, le sujet qui m'a fait ce matin éviter votre abord.

CLÉONTE. – Non, je ne veux rien écouter.

640 NICOLE. – Je te veux apprendre la cause qui nous a fait passer si vite.

COVIELLE. – Je ne veux rien entendre.

LUCILE. – Sachez que ce matin…

CLÉONTE. – Non, vous dis-je.

645 NICOLE. – Apprends que…

COVIELLE. – Non, traîtresse.

LUCILE. – Écoutez.

CLÉONTE. – Point d'affaire.

NICOLE. – Laisse-moi dire.

650 COVIELLE. – Je suis sourd.

LUCILE. – Cléonte.

CLÉONTE. – Non.

NICOLE. – Covielle.

COVIELLE. – Point.

655 LUCILE. – Arrêtez.

CLÉONTE. – Chansons.

NICOLE. – Entends-moi.

COVIELLE. – Bagatelle[2].

LUCILE. – Un moment.

660 CLÉONTE. – Point du tout.

NICOLE. – Un peu de patience.

---

1. *Queussi, queumi* : ce sera pour lui comme pour moi (expression picarde).
2. *Bagatelle* : ici, propos sans importance.

COVIELLE. – Tarare[1].

LUCILE. – Deux paroles.

CLÉONTE. – Non, c'en est fait[2].

665 NICOLE. – Un mot.

COVIELLE. – Plus de commerce[3].

LUCILE. – Hé bien ! puisque vous ne voulez pas m'écouter, demeurez dans votre pensée, et faites ce qu'il vous plaira.

670 NICOLE. – Puisque tu fais comme cela, prends-le tout comme tu voudras.

CLÉONTE. – Sachons donc le sujet d'un si bel accueil.

LUCILE. – Il ne me plaît plus de le dire.

COVIELLE. – Apprends-nous un peu cette histoire.

675 NICOLE. – Je ne veux plus, moi, te l'apprendre.

CLÉONTE. – Dites-moi…

LUCILE. – Non, je ne veux rien dire.

COVIELLE. – Conte-moi…

NICOLE. – Non, je ne conte rien.

680 CLÉONTE. – De grâce.

LUCILE. – Non, vous dis-je.

COVIELLE. – Par charité.

NICOLE. – Point d'affaire.

CLÉONTE. – Je vous en prie.

685 LUCILE. – Laissez-moi.

COVIELLE. – Je t'en conjure.

NICOLE. – Ôte-toi de là.

CLÉONTE. – Lucile.

---

1. Tarare : taratata (interjection familière pour marquer qu'on ne croit pas ce qu'on nous dit ou qu'on s'en moque).
2. C'en est fait : c'est fini.
3. Plus de commerce : ne nous parlons plus.

LUCILE. – Non.

690 COVIELLE. – Nicole.

NICOLE. – Point.

CLÉONTE. – Au nom des Dieux !

LUCILE. – Je ne veux pas.

COVIELLE. – Parle-moi.

695 NICOLE. – Point du tout.

CLÉONTE. – Éclaircissez mes doutes.

LUCILE. – Non, je n'en ferai rien.

COVIELLE. – Guéris-moi l'esprit.

NICOLE. – Non, il ne me plaît pas.

700 CLÉONTE. – Hé bien ! puisque vous vous souciez si peu de me
     tirer de peine, et de vous justifier du traitement indigne
     que vous avez fait à ma flamme[1], vous me voyez, ingrate,
     pour la dernière fois, et je vais loin de vous mourir de
     douleur et d'amour.

705 COVIELLE. – Et moi, je vais suivre ses pas.

LUCILE. – Cléonte.

NICOLE. – Covielle.

CLÉONTE. – Eh ?

COVIELLE. – Plaît-il ?

710 LUCILE. – Où allez-vous ?

CLÉONTE. – Où je vous ai dit.

COVIELLE. – Nous allons mourir.

LUCILE. – Vous allez mourir, Cléonte ?

CLÉONTE. – Oui, cruelle, puisque vous le voulez.

715 LUCILE. – Moi, je veux que vous mouriez ?

CLÉONTE. – Oui, vous le voulez.

LUCILE. – Qui vous le dit ?

---

1. *Flamme* : amour.

CLÉONTE. – N'est-ce pas le vouloir, que de [...]
éclaircir mes soupçons !

720 LUCILE. – Est-ce ma faute ? et si vous avie[...]
ter, ne vous aurais-je pas dit que l'ave[...]
vous plaignez a été causée ce matin par l[...]
vieille tante, qui veut à toute force que l[...]
d'un homme déshonore une fille, qui [...]
725 nous sermonne sur ce chapitre[1], et nou[...]
hommes comme des diables qu'il faut f[...]

NICOLE. – Voilà le secret de l'affaire.

CLÉONTE. – Ne me trompez-vous point, Luc[...]

COVIELLE. – Ne m'en donnes-tu point à garder[3] ?

730 LUCILE. – Il n'est rien de plus vrai.

NICOLE. – C'est la chose comme elle est.

COVIELLE. – Nous rendrons-nous à cela ?

CLÉONTE. – Ah ! Lucile, qu'avec un mot de votre bouche
vous savez apaiser de choses dans mon cœur ! et que
735 facilement on se laisse persuader aux personnes[4] qu'on
aime !

COVIELLE. – Qu'on est aisément amadoué par ces diantres
d'animaux-là !

---

1. *Nous sermonne sur ce chapitre* : nous fait des leçons de morale
sur ce sujet.
2. *Figure* : décrit.
3. *Ne m'en donnes-tu point à garder ?* : ne me racontes-tu pas de
mensonges ?
4. *Aux personnes* : par les personnes.

Scène 11

MME JOURDAIN, CLÉONTE, LUCILE,
COVIELLE, NICOLE

MME. JOURDAIN. – Je suis bien aise de vous voir, Cléonte, et
740   vous voilà tout à propos. Mon mari vient ; prenez vite
votre temps[1] pour lui demander Lucile en mariage.

CLÉONTE. – Ah ! madame, que cette parole m'est douce, et
qu'elle flatte mes désirs ! Pouvais-je recevoir un ordre
plus charmant ? une faveur plus précieuse ?

Scène 12

M. JOURDAIN, MME JOURDAIN, CLÉONTE,
LUCILE, COVIELLE, NICOLE

745 CLÉONTE. – Monsieur, je n'ai voulu prendre personne pour
vous faire une demande que je médite il y a longtemps[2].
Elle me touche assez pour m'en charger moi-même ;
et, sans autre détour, je vous dirai que l'honneur d'être
votre gendre est une faveur glorieuse que je vous prie de
750 m'accorder.

M. JOURDAIN. – Avant que de vous rendre réponse, monsieur,
je vous prie de me dire si vous êtes gentilhomme.

---

1. *Prenez* […] *votre temps* : saisissez l'occasion.
2. *Il y a longtemps* : depuis longtemps.

CLÉONTE. – Monsieur, la plupart des gens sur cette question n'hésitent pas beaucoup. On tranche le mot[1] aisément. Ce nom ne fait aucun scrupule à prendre, et l'usage aujourd'hui semble en autoriser le vol. Pour moi, je vous l'avoue, j'ai les sentiments sur cette matière un peu plus délicats : je trouve que toute imposture est indigne d'un honnête homme, et qu'il y a de la lâcheté à déguiser ce que le Ciel nous a fait naître, à se parer aux yeux du monde d'un titre dérobé, à se vouloir donner pour ce qu'on n'est pas. Je suis né de parents, sans doute, qui ont tenu des charges[2] honorables. Je me suis acquis dans les armes l'honneur de six ans de services, et je me trouve assez de bien pour tenir dans le monde un rang assez passable. Mais, avec tout cela, je ne veux point me donner un nom où d'autres en ma place croiraient pouvoir prétendre, et je vous dirai franchement que je ne suis point gentilhomme.

M. JOURDAIN. – Touchez là[3], monsieur : ma fille n'est pas pour vous.

CLÉONTE. – Comment ?

M. JOURDAIN. – Vous n'êtes point gentilhomme, vous n'aurez pas ma fille.

MME JOURDAIN. – Que voulez-vous donc dire avec votre gentilhomme ? Est-ce que nous sommes, nous autres, de la côte de saint Louis[4] ?

M. JOURDAIN. – Taisez-vous, ma femme : je vous vois venir.

---

1. *On tranche le mot* : on règle la question.
2. *Charges* : fonctions.
3. *Touchez là* : touchez-moi la main – normalement, en signe d'accord.
4. *De la côte de saint Louis* : d'une noblesse ancienne.

Mme Jourdain. – Descendons-nous tous deux que de bonne
780   bourgeoisie[1] ?

M. Jourdain. – Voilà pas le coup de langue[2] ?

Mme Jourdain. – Et votre père n'était-il pas marchand aussi
bien que le mien ?

M. Jourdain. – Peste soit de la femme ! Elle n'y a jamais
785   manqué. Si votre père a été marchand, tant pis pour lui ;
mais pour le mien, ce sont des malavisés[3] qui disent cela.
Tout ce que j'ai à vous dire, moi, c'est que je veux avoir
un gendre gentilhomme.

Mme Jourdain. – Il faut à votre fille un mari qui lui soit
790   propre[4], et il vaut mieux pour elle un honnête homme
riche et bien fait qu'un gentilhomme gueux[5] et mal bâti.

Nicole. – Cela est vrai. Nous avons le fils du gentilhomme
de notre village, qui est le plus grand malitorne[6] et le
plus sot dadais que j'aie jamais vu.

795 M. Jourdain. – Taisez-vous, impertinente. Vous vous fourrez
toujours dans la conversation. J'ai du bien assez pour
ma fille, je n'ai besoin que d'honneur, et je la veux faire
marquise.

Mme Jourdain. – Marquise ?

800 M. Jourdain. – Oui, marquise.

Mme Jourdain. – Hélas ! Dieu m'en garde !

M. Jourdain. – C'est une chose que j'ai résolue.

---

1. *Que de bonne bourgeoisie* : d'autre chose que d'une famille bourgeoise aisée.

2. *Voilà pas le coup de langue ?* : ne voilà-t-il pas une médisance ?

3. *Malavisés* : personnes mal informées.

4. *Qui lui soit propre* : qui lui convienne.

5. *Gueux* : pauvre, réduit à la mendicité.

6. *Malitorne* : maladroit.

MME JOURDAIN. – C'est une chose, moi, où je ne consentirai point. Les alliances avec plus grand que soi sont sujettes toujours à de fâcheux inconvénients. Je ne veux point qu'un gendre puisse à ma fille reprocher ses parents, et qu'elle ait des enfants qui aient honte de m'appeler leur grand-maman. S'il fallait qu'elle me vînt visiter en équipage de grande-dame[1], et qu'elle manquât par mégarde à saluer quelqu'un du quartier, on ne manquerait pas aussitôt de dire cent sottises. «Voyez-vous, dirait-on, cette madame la marquise qui fait tant la glorieuse[2]? C'est la fille de M. Jourdain, qui était trop heureuse, étant petite, de jouer à la madame avec nous. Elle n'a pas toujours été si relevée[3] que la voilà, et ses deux grands-pères vendaient du drap auprès de la porte Saint-Innocent[4]. Ils ont amassé du bien à leurs enfants, qu'ils payent maintenant peut-être bien cher en l'autre monde, et l'on ne devient guère si riches à être honnêtes gens[5].» Je ne veux point tous ces caquets[6], et je veux un homme, en un mot, qui m'ait obligation de ma fille[7], et à qui je puisse dire : «Mettez-vous là, mon gendre, et dînez avec moi.»

---

1. *En équipage de grande-dame* : avec la voiture, les valets et les vêtements d'une femme de haute noblesse.

2. *La glorieuse* : la fière, la prétentieuse.

3. *Relevée* : hautaine.

4. *La porte Saint-Innocent* : la porte du cimetière des Saints-Innocents, à Paris, lieu marchand très fréquenté (aujourd'hui le quartier des Halles).

5. *À être honnêtes gens* : en restant honnête.

6. *Caquets* : bavardages, commérages.

7. *Qui m'ait obligation de ma fille* : qui me soit reconnaissant de lui avoir donné ma fille en mariage.

M. Jourdain. – Voilà bien les sentiments d'un petit esprit, de vouloir demeurer toujours dans la bassesse. Ne me répliquez pas davantage : ma fille sera marquise en dépit de tout le monde ; et si vous me mettez en colère, je la ferai duchesse.

Mme Jourdain. – Cléonte, ne perdez point courage encore. Suivez-moi, ma fille, et venez dire résolument à votre père que si vous ne l'avez, vous ne voulez épouser personne.

Scène 13

Cléonte, Covielle

Covielle. – Vous avez fait de belles affaires avec vos beaux sentiments.

Cléonte. – Que veux-tu ? J'ai un scrupule là-dessus, que l'exemple[1] ne saurait vaincre.

Covielle. – Vous moquez-vous, de le prendre sérieusement avec un homme comme cela ? Ne voyez-vous pas qu'il est fou ? et vous coûtait-il quelque chose de vous accommoder à ses chimères[2] ?

Cléonte. – Tu as raison ; mais je ne croyais pas qu'il fallût faire ses preuves de noblesse pour être gendre de M. Jourdain.

Covielle. – Ah ! ah ! ah !

Cléonte. – De quoi ris-tu ?

---

1. L'exemple que donnent les autres (ceux qui prétendent être nobles alors qu'ils ne le sont pas).
2. *Chimères* : idées folles.

845 COVIELLE. – D'une pensée qui me vient pour jouer[1] notre homme, et vous faire obtenir ce que vous souhaitez.

CLÉONTE. – Comment ?

COVIELLE. – L'idée est tout à fait plaisante.

CLÉONTE. – Quoi donc ?

850 COVIELLE. – Il s'est fait depuis peu une certaine mascarade[2] qui vient[3] le mieux du monde ici, et que je prétends faire entrer dans une bourle[4] que je veux faire à notre ridicule. Tout cela sent un peu sa comédie ; mais avec lui on peut hasarder toute chose, il n'y faut point chercher tant de 855 façons, il est homme à y jouer son rôle à merveille, et à donner aisément dans toutes les fariboles[5] qu'on s'avisera de lui dire. J'ai les acteurs, j'ai les habits tout prêts : laissez-moi faire seulement.

CLÉONTE. – Mais apprends-moi…

860 COVIELLE. – Je vais vous instruire de tout. Retirons-nous, le voilà qui revient.

Scène 14

M. JOURDAIN, LAQUAIS

M. JOURDAIN. – Que diable est-ce là ! Ils n'ont rien que les grands seigneurs à me reprocher[6] ; et moi, je ne vois rien

---

1. *Jouer* : tromper.
2. *Mascarade* : comédie où l'on se déguise.
3. *Vient* : convient.
4. *Bourle* : farce, tromperie.
5. *Fariboles* : fables, mensonges.
6. *Ils n'ont rien que les grands seigneurs à me reprocher* : ils ne font que me reprocher la fréquentation des grands seigneurs.

de si beau que de hanter[1] les grands seigneurs : il n'y a
qu'honneur et que civilité[2] avec eux, et je voudrais qu'il
m'eût coûté deux doigts de la main, et être né comte ou
marquis.

LAQUAIS. – Monsieur, voici monsieur le comte, et une dame
qu'il mène par la main.

M. JOURDAIN. – Hé mon Dieu ! j'ai quelques ordres à donner.
Dis-leur que je vais venir ici tout à l'heure.

Scène 15

DORIMÈNE, DORANTE, LAQUAIS

LAQUAIS. – Monsieur dit comme cela qu'il va venir ici tout
à l'heure.

DORANTE. – Voilà qui est bien.

DORIMÈNE. – Je ne sais pas, Dorante, je fais encore ici une
étrange démarche, de me laisser amener par vous dans
une maison où je ne connais personne.

DORANTE. – Quel lieu voulez-vous donc, madame, que mon
amour choisisse pour vous régaler[3], puisque, pour fuir
l'éclat[4], vous ne voulez ni votre maison, ni la mienne ?

DORIMÈNE. – Mais vous ne dites pas que je m'engage insen-
siblement, chaque jour, à recevoir de trop grands témoi-
gnages de votre passion ? J'ai beau me défendre des

---

1. *Hanter* : fréquenter.
2. *Civilité* : politesse.
3. *Régaler* : offrir un «régale», un divertissement.
4. *Pour fuir l'éclat* : pour éviter le scandale.

choses, vous fatiguez ma résistance, et vous avez une
885   civile opiniâtreté[1] qui me fait venir doucement à tout ce
qu'il vous plaît. Les visites fréquentes ont commencé ;
les déclarations sont venues ensuite, qui après elles ont
traîné les sérénades et les cadeaux, que les présents ont
suivis. Je me suis opposée à tout cela, mais vous ne vous
890   rebutez point, et, pied à pied[2], vous gagnez mes résolutions[3]. Pour moi, je ne puis plus répondre de rien, et je
crois qu'à la fin vous me ferez venir au mariage, dont je
me suis tant éloignée.

DORANTE. – Ma foi ! madame, vous y devriez déjà être. Vous
895   êtes veuve, et ne dépendez que de vous. Je suis maître de
moi, et vous aime plus que ma vie. À quoi tient-il que dès
aujourd'hui vous ne fassiez tout mon bonheur ?

DORIMÈNE. – Mon Dieu ! Dorante, il faut des deux parts bien
des qualités pour vivre heureusement ensemble ; et les
900   deux plus raisonnables personnes du monde ont souvent
peine à composer une union dont ils soient satisfaits.

DORANTE. – Vous vous moquez, madame, de vous y figurer
tant de difficultés ; et l'expérience que vous avez faite ne
conclut rien pour tous les autres.

905 DORIMÈNE. – Enfin j'en reviens toujours là : les dépenses
que je vous vois faire pour moi m'inquiètent par deux
raisons : l'une, qu'elles m'engagent plus que je ne
voudrais ; et l'autre, que je suis sûre, sans vous déplaire,
que vous ne les faites point que vous ne vous incommo-
910   diez[4] ; et je ne veux point cela.

---

1. *Civile opiniâtreté* : aimable obstination.
2. *Pied à pied* : petit à petit.
3. *Vous gagnez mes résolutions* : vous me faites changer d'avis.
4. *Que vous ne vous incommodiez* : sans vous ruiner.

DORANTE. – Ah ! madame, ce sont des bagatelles ; et ce n'est pas par là…

DORIMÈNE. – Je sais ce que je dis ; et, entre autres, le diamant que vous m'avez forcée à prendre est d'un prix…

915 DORANTE. – Eh ! madame, de grâce, ne faites point tant valoir une chose que mon amour trouve indigne de vous ; et souffrez… Voici le maître du logis.

Scène 16

M. JOURDAIN, DORIMÈNE, DORANTE, LAQUAIS

M. JOURDAIN, *après avoir fait deux révérences, se trouvant trop près de Dorimène*. – Un peu plus loin, madame.

920 DORIMÈNE. – Comment ?

M. JOURDAIN. – Un pas, s'il vous plaît.

DORIMÈNE. – Quoi donc ?

M. JOURDAIN. – Reculez un peu, pour la troisième.

DORANTE. – Madame, M. Jourdain sait son monde[1].

925 M. JOURDAIN. – Madame, ce m'est une gloire bien grande de me voir assez fortuné pour être si heureux que d'avoir le bonheur que vous ayez eu la bonté de m'accorder la grâce de me faire l'honneur de m'honorer de la faveur de votre présence ; et si j'avais aussi le mérite pour mériter

930 un mérite comme le vôtre, et que le Ciel… envieux de mon bien… m'eût accordé… l'avantage de me voir digne… des…

---

1. Sait son monde : sait se comporter en société.

DORANTE. – Monsieur Jourdain, en voilà assez : madame n'aime pas les grands compliments, et elle sait que vous

935 êtes homme d'esprit. *(Bas, à Dorimène.)* C'est un bon bourgeois assez ridicule, comme vous voyez, dans toutes ses manières.

DORIMÈNE. – Il n'est pas malaisé de s'en apercevoir.

DORANTE. – Madame, voilà le meilleur de mes amis.

940 M. JOURDAIN. – C'est trop d'honneur que vous me faites.

DORANTE. – Galant homme tout à fait.

DORIMÈNE. – J'ai beaucoup d'estime pour lui.

M. JOURDAIN. – Je n'ai rien fait encore, madame, pour mériter cette grâce.

945 DORANTE, *bas, à M. Jourdain.* – Prenez bien garde au moins à ne lui point parler du diamant que vous lui avez donné.

M. JOURDAIN. – Ne pourrais-je pas seulement lui demander comment elle le trouve ?

DORANTE. – Comment ? gardez-vous-en bien : cela serait

950 vilain[1] à vous ; et pour agir en galant homme, il faut que vous fassiez comme si ce n'était pas vous qui lui eussiez fait ce présent. M. Jourdain, madame, dit qu'il est ravi de vous voir chez lui.

DORIMÈNE. – Il m'honore beaucoup.

955 M. JOURDAIN. – Que je vous suis obligé, monsieur, de lui parler ainsi pour moi !

DORANTE. – J'ai eu une peine effroyable à la faire venir ici.

M. JOURDAIN. – Je ne sais quelles grâces vous en rendre.

DORANTE. – Il dit, madame, qu'il vous trouve la plus belle

960 personne du monde.

DORIMÈNE. – C'est bien de la grâce qu'il me fait.

---

1. *Vilain* : digne d'un paysan, vulgaire.

M. JOURDAIN. – Madame, c'est vous qui faites les grâces[1] ; et...

DORANTE. – Songeons à manger.

965 LAQUAIS. – Tout est prêt, monsieur.

DORANTE. – Allons donc nous mettre à table, et qu'on fasse venir les musiciens.

Six cuisiniers, qui ont préparé le festin, dansent ensemble, et font le troisième intermède ; après quoi, ils apportent une table couverte
970 *de plusieurs mets.*

---

1. Emploi fautif du pluriel qui rend la déclaration de M. Jourdain maladroite.

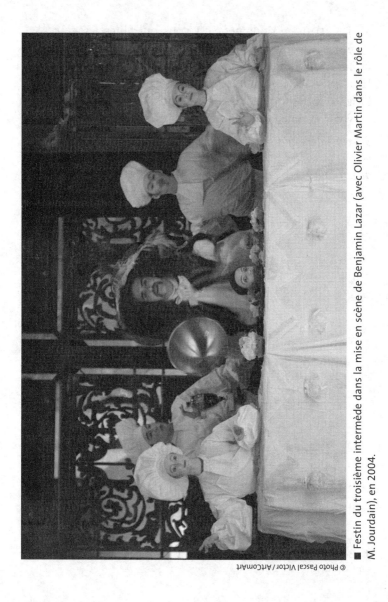

■ Festin du troisième intermède dans la mise en scène de Benjamin Lazar (avec Olivier Martin dans le rôle de M. Jourdain), en 2004.

Acte IV

Scène première

DORANTE, DORIMÈNE, M. JOURDAIN,
DEUX MUSICIENS, UNE MUSICIENNE, LAQUAIS

DORIMÈNE. – Comment, Dorante ? voilà un repas tout à fait
magnifique !

M. JOURDAIN. – Vous vous moquez, madame, et je voudrais
qu'il fût plus digne de vous être offert.

5   *Tous se mettent à table.*

DORANTE. – M. Jourdain a raison, madame, de parler de la
sorte, et il m'oblige[1] de vous faire si bien les honneurs de
chez lui. Je demeure d'accord avec lui que le repas n'est
pas digne de vous. Comme c'est moi qui l'ai ordonné,
10   et que je n'ai pas sur cette matière les lumières de nos
amis, vous n'avez pas ici un repas fort savant, et vous
y trouverez des incongruités[2] de bonne chère[3], et des
barbarismes[4] de bon goût. Si Damis s'en était mêlé, tout
serait dans les règles ; il y aurait partout de l'élégance et

---

1. *M'oblige* : me fait plaisir.
2. *Incongruités* : fautes (normalement, de grammaire, ici de goût).
3. *De bonne chère* : concernant la nourriture.
4. *Barbarismes* : fautes (normalement, de langue).

15   de l'érudition, et il ne manquerait pas de vous exagérer[1]
      lui-même toutes les pièces du repas qu'il vous donnerait,
      et de vous faire tomber d'accord de sa haute capacité
      dans la science des bons morceaux, de vous parler d'un
      pain de rive, à biseau doré[2], relevé de croûte partout,
20   croquant tendrement sous la dent ; d'un vin à sève
      veloutée, armé d'un vert qui n'est point trop comman-
      dant[3] ; d'un carré de mouton gourmandé[4] de persil ;
      d'une longe[5] de veau de rivière[6], longue comme cela,
      blanche, délicate, et qui sous les dents est une vraie pâte
25   d'amande ; de perdrix relevées d'un fumet surprenant ; et
      pour son opéra[7], d'une soupe à bouillon perlé[8], soute-
      nue d'un jeune gros dindon cantonné[9] de pigeonneaux,
      et couronnée d'oignons blancs, mariés avec la chicorée.
      Mais pour moi, je vous avoue mon ignorance ; et comme
30   M. Jourdain a fort bien dit, je voudrais que le repas fût
      plus digne de vous être offert.

DORIMÈNE. – Je ne réponds à ce compliment qu'en mangeant
      comme je fais.

M. JOURDAIN. – Ah ! que voilà de belles mains !

---

1. *Exagérer* : louer.

2. *Pain de rive à biseau doré* : pain cuit sur le bord (ou *rive*) du four, à la tranche dorée.

3. *D'un vin à sève veloutée, armé d'un vert qui n'est point trop commandant* : termes techniques, qui désignent la force et l'acidité du vin – l'acidité du vin proposé par Dorante n'est pas trop marquée.

4. *Gourmandé* : assaisonné.

5. *Longe* : partie comprise entre le bas de l'épaule et la queue.

6. *Veau de rivière* : veau à viande grasse, élevé dans les prairies qui bordent les rivières.

7. *Opéra* : chef-d'œuvre.

8. *Bouillon perlé* : bouillon de viande.

9. *Cantonné* : accompagné.

35 DORIMÈNE. – Les mains sont médiocres, M. Jourdain ; mais vous voulez parler du diamant, qui est fort beau.

M. JOURDAIN. – Moi, madame ! Dieu me garde d'en vouloir parler ; ce ne serait pas agir en galant homme, et le diamant est fort peu de chose.

40 DORIMÈNE. – Vous êtes bien dégoûté[1].

M. JOURDAIN. – Vous avez trop de bonté…

DORANTE. – Allons, qu'on donne du vin à M. Jourdain, et à ces messieurs, qui nous feront la grâce de nous chanter un air à boire.

45 DORIMÈNE. – C'est merveilleusement assaisonner la bonne chère, que d'y mêler la musique, et je me vois ici admirablement régalée[2].

M. JOURDAIN. – Madame, ce n'est pas…

DORANTE. – M. Jourdain, prêtons silence à ces messieurs ;
50 ce qu'ils nous diront vaudra mieux que tout ce que nous pourrions dire.

Les musiciens et la musicienne prennent des verres, chantent deux chansons à boire, et sont soutenus de toute la symphonie.

Première chanson à boire

Un petit doigt, Philis, pour commencer le tour[3].
55 *Ah ! qu'un verre en vos mains a d'agréables charmes !*
Vous et le vin, vous vous prêtez des armes,
Et je sens pour tous deux redoubler mon amour :
Entre lui, vous et moi, jurons, jurons, ma belle,
Une ardeur éternelle.

---

1. Dégoûté : difficile.
2. Régalée : reçue.
3. Le tour : la tournée.

60 *Qu'en mouillant votre bouche il en reçoit d'attraits,*
Et que l'on voit par lui votre bouche embellie !
Ah ! l'un de l'autre ils me donnent envie,
Et de vous et de lui je m'enivre à longs traits :
Entre lui, vous et moi, jurons, jurons, ma belle,
65 *Une ardeur éternelle.*

Seconde chanson à boire

Buvons, chers amis, buvons :
Le temps qui fuit nous y convie ;
Profitons de la vie
Autant que nous pouvons.
70 *Quand on a passé l'onde noire*[1]*,*
Adieu le bon vin, nos amours ;
Dépêchons-nous de boire,
On ne boit pas toujours.

Laissons raisonner les sots
75 *Sur le vrai bonheur de la vie ;*
Notre philosophie
Le met parmi les pots.
Les biens, le savoir et la gloire
N'ôtent point les soucis fâcheux,
80 *Et ce n'est qu'à bien boire*
Que l'on peut être heureux.

---

1. *Quand on a passé l'onde noire* : quand on est mort – « l'onde noire »
est le fleuve des Enfers dans la mythologie gréco-romaine.

Sus, sus[1], du vin partout, versez, garçons, versez,
Versez, versez toujours, tant qu'on vous dise[2] assez.

DORIMÈNE. – Je ne crois pas qu'on puisse mieux chanter, et
85   cela est tout à fait beau.

M. JOURDAIN. – Je vois encore ici, madame, quelque chose
     de plus beau.

DORIMÈNE. – Ouais ! M. Jourdain est galant plus que je ne
     pensais.

90 DORANTE. – Comment ? madame, pour qui prenez-vous
     M. Jourdain ?

M. JOURDAIN. – Je voudrais bien qu'elle me prît pour ce que
     je dirais.

DORIMÈNE. – Encore !

95 DORANTE. – Vous ne le connaissez pas.

M. JOURDAIN. – Elle me connaîtra quand il lui plaira.

DORIMÈNE. – Oh ! Je le quitte[3].

DORANTE. – Il est homme qui a toujours la riposte[4] en
     main. Mais vous ne voyez pas que M. Jourdain, madame,
100   mange tous les morceaux que vous touchez.

DORIMÈNE. – M. Jourdain est un homme qui me ravit.

M. JOURDAIN. – Si je pouvais ravir votre cœur, je serais…

---

1. *Sus* : allons !
2. *Tant qu'on vous dise* : jusqu'à ce qu'on vous dise.
3. *Je le quitte* : j'y renonce.
4. *Riposte* : repartie.

Scène 2

MME JOURDAIN, M. JOURDAIN, DORANTE,
DORIMÈNE, MUSICIENS, MUSICIENNES, LAQUAIS

MME JOURDAIN. – Ah, ah! je trouve ici bonne compagnie, et je vois bien qu'on ne m'y attendait pas. C'est donc pour cette belle affaire-ci, monsieur mon mari, que vous avez eu tant d'empressement à m'envoyer dîner chez ma sœur? Je viens de voir un théâtre[1] là-bas[2], et je vois ici un banquet à faire noces[3]. Voilà comme vous dépensez votre bien, et c'est ainsi que vous festinez les dames[4] en mon absence, et que vous leur donnez la musique et la comédie, tandis que vous m'envoyez promener?

DORANTE. – Que voulez-vous dire, madame Jourdain? et quelles fantaisies sont les vôtres, de vous aller mettre en tête que votre mari dépense son bien, et que c'est lui qui donne ce régale à madame? Apprenez que c'est moi, je vous prie; qu'il ne fait seulement que me prêter sa maison, et que vous devriez un peu mieux regarder aux choses que vous dites.

M. JOURDAIN. – Oui, impertinente, c'est monsieur le comte qui donne tout ceci à madame, qui est une personne de qualité. Il me fait l'honneur de prendre ma maison, et de vouloir que je sois avec lui.

---

1. *Un théâtre* : la scène que Covielle a montée pour la cérémonie turque à venir.
2. *Là-bas* : en bas.
3. *À faire noces* : digne d'un repas de noces.
4. *Festinez les dames* : offrez un festin aux dames.

MME JOURDAIN. – Ce sont des chansons que cela : je sais ce
que je sais.

125

DORANTE. – Prenez, madame Jourdain, prenez de meilleures
lunettes.

MME JOURDAIN. – Je n'ai que faire de lunettes, monsieur, et je
vois assez clair ; il y a longtemps que je sens les choses,

130   et je ne suis pas une bête. Cela est fort vilain à vous, pour
un grand seigneur, de prêter la main comme vous faites
aux sottises de mon mari. Et vous, madame, pour une
grande dame, cela n'est ni beau ni honnête à vous, de
mettre de la dissension[1] dans un ménage, et de souffrir[2]

135   que mon mari soit amoureux de vous.

DORIMÈNE. – Que veut donc dire tout ceci ? Allez, Dorante,
vous vous moquez, de m'exposer aux sottes visions[3] de
cette extravagante.

DORANTE. – Madame, holà ! Madame, où courez-vous ?

140   M. JOURDAIN. – Madame ! monsieur le comte, faites-lui
excuses, et tâchez de la ramener… Ah ! impertinente que
vous êtes ! voilà de vos beaux faits ; vous me venez faire
des affronts devant tout le monde, et vous chassez de
chez moi des personnes de qualité.

145   MME JOURDAIN. – Je me moque de leur qualité.

M. JOURDAIN. – Je ne sais qui me tient, maudite, que je ne
vous fende la tête[4] avec les pièces du repas que vous êtes
venue troubler.

On ôte la table.

---

1. *Dissension* : dispute.
2. *Souffrir* : supporter, permettre.
3. *Visions* : idées folles.
4. *Qui me tient* […] *que je ne vous fende la tête* : ce qui me retient
de vous fendre la tête.

150 MME JOURDAIN, *sortant*. – Je me moque de cela. Ce sont mes droits que je défends, et j'aurai pour moi toutes les femmes.

M. JOURDAIN. – Vous faites bien d'éviter ma colère. Elle est arrivée là bien malheureusement. J'étais en humeur de
155 dire de jolies choses, et jamais je ne m'étais senti tant d'esprit. Qu'est-ce que c'est que cela ?

Scène 3

COVIELLE, *déguisé*, M. JOURDAIN, LAQUAIS

COVIELLE. – Monsieur, je ne sais pas si j'ai l'honneur d'être connu de vous.

M. JOURDAIN. – Non, monsieur.

160 COVIELLE. – Je vous ai vu que vous n'étiez pas plus grand que cela.

M. JOURDAIN. – Moi !

COVIELLE. – Oui, vous étiez le plus bel enfant du monde, et toutes les dames vous prenaient dans leurs bras pour
165 vous baiser.

M. JOURDAIN. – Pour me baiser !

COVIELLE. – Oui. J'étais grand ami de feu[1] monsieur votre père.

M. JOURDAIN. – De feu monsieur mon père !

170 COVIELLE. – Oui. C'était un fort honnête gentilhomme.

M. JOURDAIN. – Comment dites-vous ?

COVIELLE. – Je dis que c'était un fort honnête gentilhomme.

---

1. *Feu* : s'emploie pour parler d'une personne décédée.

M. Jourdain. – Mon père !

Covielle. – Oui.

175 M. Jourdain. – Vous l'avez fort connu ?

Covielle. – Assurément.

M. Jourdain. – Et vous l'avez connu pour[1] gentilhomme ?

Covielle. – Sans doute.

M. Jourdain. – Je ne sais donc pas comment le monde est
180 fait.

Covielle. – Comment ?

M. Jourdain. – Il y a de sottes gens qui me veulent dire qu'il
a été marchand.

Covielle. – Lui marchand ! C'est pure médisance, il ne
185 l'a jamais été. Tout ce qu'il faisait, c'est qu'il était fort
obligeant, fort officieux[2] ; et comme il se connaissait fort
bien en étoffes, il en allait choisir de tous les côtés, les
faisait apporter chez lui, et en donnait à ses amis pour
de l'argent.

190 M. Jourdain. – Je suis ravi de vous connaître, afin que vous
rendiez ce témoignage-là, que mon père était gentilhomme.

Covielle. – Je le soutiendrai[3] devant tout le monde.

M. Jourdain. – Vous m'obligerez[4]. Quel sujet vous amène ?

195 Covielle. – Depuis avoir connu feu monsieur votre père,
honnête gentilhomme, comme je vous ai dit, j'ai voyagé
par tout le monde[5].

M. Jourdain. – Par tout le monde !

---

1. *Pour* : comme étant.
2. *Obligeant* : attentionné, serviable. *Officieux* a le même sens.
3. *Je le soutiendrai* : je l'affirmerai.
4. *Vous m'obligerez* : vous me ferez plaisir.
5. *Par tout le monde* : dans tous les coins du monde.

COVIELLE. – Oui.

200 M. JOURDAIN. – Je pense qu'il y a bien loin en ce pays-là.

COVIELLE. – Assurément. Je ne suis revenu de tous mes longs voyages que depuis quatre jours ; et par l'intérêt que je prends à tout ce qui vous touche, je viens vous annoncer la meilleure nouvelle du monde.

205 M. JOURDAIN. – Quelle ?

COVIELLE. – Vous savez que le fils du Grand Turc[1] est ici ?

M. JOURDAIN. – Moi ? Non.

COVIELLE. – Comment ? il a un train[2] tout à fait magnifique ; tout le monde le va voir, et il a été reçu en ce pays comme 210 un seigneur d'importance.

M. JOURDAIN. – Par ma foi ! je ne savais pas cela.

COVIELLE. – Ce qu'il y a d'avantageux pour vous, c'est qu'il est amoureux de votre fille.

M. JOURDAIN. – Le fils du Grand Turc ?

215 COVIELLE. – Oui ; et il veut être votre gendre.

M. JOURDAIN. – Mon gendre, le fils du Grand Turc !

COVIELLE. – Le fils du Grand Turc, votre gendre. Comme je le fus voir, et que j'entends[3] parfaitement sa langue, il s'entretint avec moi ; et, après quelques autres discours, 220 il me dit : *Acciam croc soler ouch alla moustaph gidelum amanahem varahini oussere carbulath*[4], c'est-à-dire : « N'as-tu point vu une jeune belle personne, qui est la fille de M. Jourdain, gentilhomme parisien ? »

M. JOURDAIN. – Le fils du Grand Turc dit cela de moi ?

---

1. *Grand Turc* : souverain de l'Empire ottoman.
2. *Train* : suite de voitures, de chevaux et de domestiques qui accompagnent un grand seigneur.
3. *J'entends* : je comprends.
4. Tous les mots censés être en langue turque sont en réalité des inventions.

225 COVIELLE. – Oui. Comme je lui eus répondu que je vous connaissais particulièrement, et que j'avais vu votre fille : «*Ah !* me dit-il, *marababa sahem*», c'est-à-dire «Ah ! que je suis amoureux d'elle ! »

M. JOURDAIN. – *Marababa sahem* veut dire «Ah ! que je suis
230 amoureux d'elle»?

COVIELLE. – Oui.

M. JOURDAIN. – Par ma foi ! vous faites bien de me le dire, car pour moi je n'aurais jamais cru que *marababa sahem* eût voulu dire : «Ah ! que je suis amoureux d'elle ! » Voilà
235 une langue admirable que ce turc !

COVIELLE. – Plus admirable qu'on ne peut croire. Savez-vous bien ce que veut dire *cacaracamouchen*?

M. JOURDAIN. – *Cacaracamouchen*? Non.

COVIELLE. – C'est-à-dire : «Ma chère âme.»

240 M. JOURDAIN. – *Cacaracamouchen* veut dire «Ma chère âme»?

COVIELLE. – Oui.

M. JOURDAIN. – Voilà qui est merveilleux ! *Cacaracamouchen*, «Ma chère âme». Dirait-on jamais cela? Voilà qui me
245 confond[1].

COVIELLE. – Enfin, pour achever mon ambassade[2], il vient vous demander votre fille en mariage; et pour avoir un beau-père qui soit digne de lui, il veut vous faire *Mamamouchi*[3] qui est une certaine grande dignité de son pays.

250 M. JOURDAIN. – *Mamamouchi*?

---

1. *Me confond* : me stupéfie.
2. *Ambassade* : ici, message.
3. *Mamamouchi* : mot inventé par Molière, peut-être à partir de l'arabe «*mà menou schi*», qui signifie «non bonne chose».

COVIELLE. – Oui, *Mamamouchi*; c'est-à-dire, en notre langue, Paladin[1]. Paladin, ce sont de ces anciens... Paladin enfin. Il n'y a rien de plus noble que cela dans le monde, et vous irez de pair avec les plus grands seigneurs de la terre.

255

M. JOURDAIN. – Le fils du Grand Turc m'honore beaucoup, et je vous prie de me mener chez lui pour lui en faire mes remerciements.

COVIELLE. – Comment ? le voilà qui va venir ici.

260 M. JOURDAIN. – Il va venir ici ?

COVIELLE. – Oui ; et il amène toutes choses pour la cérémonie de votre dignité.

M. JOURDAIN. – Voilà qui est bien prompt.

COVIELLE. – Son amour ne peut souffrir aucun retardement[2].

265 M. JOURDAIN. – Tout ce qui m'embarrasse ici, c'est que ma fille est une opiniâtre[3], qui s'est allée mettre dans la tête un certain Cléonte, et elle jure de n'épouser personne que celui-là.

COVIELLE. – Elle changera de sentiment quand elle verra le fils du Grand Turc ; et puis il se rencontre ici une aventure merveilleuse, c'est que le fils du Grand Turc ressemble à ce Cléonte, à peu de chose près. Je viens de le voir, on me l'a montré ; et l'amour qu'elle a pour l'un pourra passer aisément à l'autre, et... Je l'entends venir ; le voilà.

---

1. *Paladin* : nom donné aux seigneurs de la cour de Charlemagne.
2. *Retardement* : retard.
3. *Opiniâtre* : têtue.

Scène 4

CLÉONTE, *en Turc, avec trois pages portant sa veste*[1],
M. JOURDAIN,
COVIELLE, *déguisé.*

275 CLÉONTE. – *Ambousahim oqui boraf, iordina, salamalequi*[2].

COVIELLE. – C'est-à-dire : «Monsieur Jourdain, votre cœur soit toute l'année comme un rosier fleuri !» Ce sont façons de parler obligeantes[3] de ces pays-là.

M. JOURDAIN. – Je suis très humble serviteur de Son Altesse

280 turque.

COVIELLE. – *Carigar camboto oustin moraf.*

CLÉONTE. – *Oustin yoc catamalequi basum base alla moran.*

COVIELLE. – Il dit : «Que le Ciel vous donne la force des lions et la prudence des serpents !»

285 M. JOURDAIN. – Son Altesse turque m'honore trop, et je lui souhaite toutes sortes de prospérités.

COVIELLE. – *Ossa binamen sadoc bably oracaf ouram.*

CLÉONTE. – *Bel-men.*

COVIELLE. – Il dit que vous alliez vite avec lui vous préparer

290 pour la cérémonie, afin de voir ensuite votre fille, et de conclure le mariage.

M. JOURDAIN. – Tant de choses en deux mots ?

COVIELLE. – Oui, la langue turque est comme cela, elle dit beaucoup en peu de paroles. Allez vite où il souhaite.

---

1. Veste : sorte de longue robe qui se porte par-dessus des vêtements chez les Orientaux. Elle forme ici une sorte de traîne que portent les domestiques.

2. Les répliques sont un mélange d'arabe et de turc.

3. Façons de parler obligeantes : formules de politesse.

Scène 5

DORANTE, COVIELLE

295 COVIELLE. – Ha, ha, ha. Ma foi! cela est tout à fait drôle.
Quelle dupe! Quand il aurait appris son rôle par cœur,
il ne pourrait pas le mieux jouer. Ah! ah! je vous prie,
monsieur, de nous vouloir aider céans, dans une affaire
qui s'y passe.

300 DORANTE. – Ah, ah, Covielle, qui t'aurait reconnu? Comme
te voilà ajusté[1]!

COVIELLE. – Vous voyez. Ah, ah.

DORANTE. – De quoi ris-tu?

COVIELLE. – D'une chose, monsieur, qui le mérite bien.

305 DORANTE. – Comment?

COVIELLE. – Je vous le donnerais en bien des fois[2], monsieur,
à deviner le stratagème[3] dont nous nous servons auprès
de M. Jourdain, pour porter son esprit à donner sa fille
à mon maître.

310 DORANTE. – Je ne devine point le stratagème; mais je devine
qu'il ne manquera pas de faire son effet, puisque tu
l'entreprends.

COVIELLE. – Je sais, monsieur, que la bête vous est connue[4].

DORANTE. – Apprends-moi ce que c'est.

315 COVIELLE. – Prenez la peine de vous tirer[5] un peu plus loin,
pour faire place à ce que j'aperçois venir. Vous pourrez

---

1. *Ajusté* : déguisé.

2. *Je vous le donnerais en bien des fois* : je vous parierais cher (terme de jeu, pour lancer un défi).

3. *Stratagème* : piège, ruse.

4. *La bête vous est connue* : vous me connaissez bien.

5. *De vous tirer* : de vous retirer.

voir une partie de l'histoire, tandis que je vous conterai le reste.

320 *(La cérémonie turque pour ennoblir le Bourgeois se fait en danse et en musique, et compose le quatrième intermède.)*

Le Mufti[1], quatre Dervis[2], six Turcs dansants, six Turcs musiciens, et autres joueurs d'instruments à la turque[3], sont les acteurs de cette cérémonie.

Le Mufti invoque Mahomet avec les douze Turcs et les quatre
325 *Dervis; après on lui amène le Bourgeois, vêtu à la turque, sans turban et sans sabre, auquel il chante ces paroles :*

LE MUFTI

Se ti sabir[4,]
Ti respondir;
Se non sabir,
330 *Tazir, tazir.*
Mi star Mufti :
Ti qui star ti?
Non intendir :
Tazir, tazir[5].

---

1. Mufti : religieux musulman, interprète de la loi ; dans les dictionnaires de l'époque de Molière, il est présenté comme le «chef de la religion mahométane».
2. Dervis : religieux musulmans.
3. Les **instruments à la turque** sont une grosse caisse, des cymbales et un triangle, d'après Charles Mazouer, *Molière et ses comédies-ballets*, *op. cit.*, p. 130.
4. «Sabir», c'est ainsi qu'on appelle le jargon mêlant arabe, français, espagnol et italien dont se sert le personnage.
5. On peut traduire ainsi le couplet : «Si toi savoir,/ Toi répondre/ Si pas savoir,/ Te taire, te taire./ Moi être Mufti :/ Toi, qui être, toi ?/ Toi pas comprendre :/ Te taire, te taire.»

335 *Le Mufti demande, en même langue, aux Turcs assistants de quelle*
religion est le Bourgeois, et ils l'assurent qu'il est mahométan. Le
Mufti invoque Mahomet en langue franque, et chante les paroles
qui suivent :

LE MUFTI

Mahametta per Giourdina
340   Mi pregar sera é mattina :
       Voler far un Paladina
       Dé Giourdina, dé Giourdina.
       Dar turbanta, é dar scarcina,
       Con galéra é brigantina,
345   Per deffender Palestina,
          Mahametta, etc.[1].

Le Mufti demande aux Turcs si le Bourgeois sera ferme dans la
religion mahométane, et leur chante ces paroles :

LE MUFTI

Star bon Turca Giourdina[2] ?

LES TURCS

350   Hi valla[3].

LE MUFTI *danse et chante ces mots :*

Hu la ba ba la chou ba la ba ba la da.

Les Turcs répondent les mêmes vers.

───────────

1. «Mahomet, pour Jourdain/ Moi prier, soir et matin :/ Vouloir faire un
Paladin/ De Jourdain, de Jourdain./ Donner turban, et donner sabre,/
Avec galère et brigantine [petit navire à deux mâts],/ Pour défendre Pales-
tine,/ Mahomet, etc.»
2. «Est-il bon Turc Jourdain ?»
3. Déformation de *Inch'Allah*, «Je l'affirme par Dieu».

Le Mufti propose de donner le turban au Bourgeois, et chante les paroles suivantes :

LE MUFTI

355   *Ti non star furba ?*

LES TURCS

No, no, no.

LE MUFTI

Non star furfanta ?

LES TURCS

No, no, no.

LE MUFTI

Donar turbanta, donar turbanta[1].

360 *Les Turcs répètent tout ce que dit le Mufti pour donner le turban au Bourgeois. Le Mufti et les Dervis se coiffent avec des turbans de cérémonie, et l'on présente au Mufti l'Alcoran*[2], *qui fait une seconde invocation avec tout le reste des Turcs assistants ; après son invocation, il donne au Bourgeois l'épée et chante ces paroles :*

LE MUFTI

365 *Ti star nobilé, é non star fabbola.*
        Pigliar schiabbola[3].

Les Turcs répètent les mêmes vers, mettant tous le sabre à la main, et six d'entre eux dansent autour du Bourgeois, auquel ils feignent de donner plusieurs coups de sabre.

---

1. «Toi pas être fourbe ? » – « Non, non, non.» – «Pas être imposteur ? »
– « Non, non, non.» – «Donner turban, donner turban.»
2. *L'Alcoran* : le Coran.
3. «Toi être noble, (cela) ne pas être fable./ Pendre sabre.»

370 *Le Mufti commande aux Turcs de bâtonner[1] le Bourgeois, et chante les paroles qui suivent :*

LE MUFTI

> *Dara, dara,*
> *Bastonnara, bastonnara[2].*

Les Turcs répètent les mêmes vers, et lui donnent plusieurs coups 375 *de bâton en cadence.*

LE MUFTI, *après l'avoir fait bâtonner, lui dit en chantant :*

LE MUFTI

> *Non tener honta :*
> *Questa star l'ultima affronta[3].*

Les Turcs répètent les mêmes vers.
Le Mufti recommence une invocation et se retire après la cérémonie 380 *avec tous les Turcs, en dansant et chantant avec plusieurs instru-ments à la turquesque[4].*

---

1. Bâtonner : frapper à coups de bâton.
2. «Donnez, donnez,/ Coups de bâton, coups de bâton.»
3. «Ne pas avoir honte :/ Cela être l'ultime affront.»
4. À la turquesque : à la manière turque.

Acte V

Scène première

MME JOURDAIN, M. JOURDAIN

MME JOURDAIN. – Ah ! mon Dieu ! miséricorde ! Qu'est-ce que c'est donc que cela ? Quelle figure ! Est-ce un momon[1] que vous allez porter ; et est-il temps d'aller en masque ? Parlez donc, qu'est-ce que c'est que ceci ? Qui vous a
5   fagoté[2] comme cela ?

M. JOURDAIN. – Voyez l'impertinente, de parler de la sorte à un *Mamamouchi* !

MME JOURDAIN. – Comment donc ?

M. JOURDAIN. – Oui, il me faut porter du respect maintenant,
10   et l'on vient de me faire *Mamamouchi*.

MME JOURDAIN. – Que voulez-vous dire avec votre *Mamamouchi* ?

M. JOURDAIN. – *Mamamouchi*, vous dis-je. Je suis *Mamamouchi*.

15 MME JOURDAIN. – Quelle bête est-ce là ?

---

1. *Momon* : défi lancé, pendant le carnaval, par des participants masqués. Mme Jourdain demande donc à son époux s'il compte participer au carnaval.
2. *Fagoté* : mal habillé.

M. JOURDAIN. – *Mamamouchi*, c'est-à-dire, en notre langue, Paladin.

MME JOURDAIN. – Baladin[1] ! Êtes-vous en âge de danser des ballets ?

20 M. JOURDAIN. – Quelle ignorante ! Je dis Paladin : c'est une dignité dont on vient de me faire la cérémonie.

MME JOURDAIN. – Quelle cérémonie donc ?

M. JOURDAIN. – *Mahameta per Iordina*.

MME JOURDAIN. – Qu'est-ce que cela veut dire ?

25 M. JOURDAIN. – *Iordina*, c'est-à-dire Jourdain.

MME JOURDAIN. – Hé bien ! quoi, Jourdain ?

M. JOURDAIN. – *Voler far un Paladina de Iordina*.

MME JOURDAIN. – Comment ?

M. JOURDAIN. – *Dar turbanta con galera*.

30 MME JOURDAIN. – Qu'est-ce à dire cela ?

M. JOURDAIN. – *Per deffender Palestina*.

MME JOURDAIN. – Que voulez-vous donc dire ?

M. JOURDAIN. – *Dara dara bastonara*.

MME JOURDAIN. – Qu'est-ce donc que ce jargon-là ?

35 M. JOURDAIN. – *Non tener honta : questa star l'ultima affronta*.

MME JOURDAIN. – Qu'est-ce que c'est donc que tout cela ?

M. JOURDAIN, *danse et chante*. – Hou la ba ba la chou ba la ba ba la da.

40 MME JOURDAIN. – Hélas ! mon Dieu ! mon mari est devenu fou.

M. JOURDAIN, *sortant*. – Paix ! insolente, portez respect à monsieur le *Mamamouchi*.

MME JOURDAIN. – Où est-ce qu'il a donc perdu l'esprit ?
45 Courons l'empêcher de sortir. Ah ! ah ! voici justement

---

1. *Baladin* : danseur ou comédien de farce (terme péjoratif).

le reste de notre écu[1]. Je ne vois que chagrin de tous les côtés.

Elle sort.

Scène 2

DORANTE, DORIMÈNE

DORANTE. – Oui, madame, vous verrez la plus plaisante
50   chose qu'on puisse voir ; et je ne crois pas que dans tout
le monde il soit possible de trouver encore un homme
aussi fou que celui-là. Et puis, madame, il faut tâcher de
servir l'amour de Cléonte, et d'appuyer toute sa mascarade : c'est un fort galant homme et qui mérite que l'on
55   s'intéresse pour lui[2].

DORIMÈNE. – J'en fais beaucoup de cas, et il est digne d'une
bonne fortune[3].

DORANTE. – Outre cela, nous avons ici, madame, un ballet
qui nous revient, que nous ne devons pas laisser perdre,
60   et il faut bien voir si mon idée pourra réussir.

DORIMÈNE. – J'ai vu là des apprêts[4] magnifiques, et ce sont
des choses, Dorante, que je ne puis plus souffrir[5]. Oui,
je veux enfin vous empêcher vos profusions ; et, pour
rompre le cours à toutes les dépenses que je vous vois

---

1. *Voici* [...] *le reste de notre écu* : voici encore un importun (expression familière).
2. *On s'intéresse pour lui* : on l'aide.
3. *Bonne fortune* : heureuse destinée.
4. *Apprêts* : préparatifs.
5. *Souffrir* : permettre.

65 faire pour moi, j'ai résolu de me marier promptement
avec vous : c'en est le vrai secret, et toutes ces choses
finissent avec le mariage.

DORANTE. – Ah! madame, est-il possible que vous ayez pu
prendre pour moi une si douce résolution?

70 DORIMÈNE. – Ce n'est que pour vous empêcher de vous
ruiner; et, sans cela, je vois bien qu'avant qu'il fût peu,
vous n'auriez pas un sou.

DORANTE. – Que j'ai d'obligation, madame, aux soins que
vous avez de conserver mon bien! Il est entièrement à
75 vous, aussi bien que mon cœur, et vous en userez de la
façon qu'il vous plaira.

DORIMÈNE. – J'userai bien de tous les deux. Mais voici votre
homme; la figure en est admirable.

Scène 3

M. JOURDAIN, DORANTE, DORIMÈNE

DORANTE. – Monsieur, nous venons rendre hommage,
80 madame et moi, à votre nouvelle dignité, et nous réjouir
avec vous du mariage que vous faites de votre fille avec
le fils du Grand Turc.

M. JOURDAIN, *après avoir fait les révérences à la turque.* –
Monsieur, je vous souhaite la force des serpents et la
85 prudence des lions.

DORIMÈNE. – J'ai été bien aise d'être des premières, monsieur,
à venir vous féliciter du haut degré de gloire où vous êtes
monté.

M. Jourdain. – Madame, je vous souhaite toute l'année votre rosier fleuri ; je vous suis infiniment obligé de prendre part aux honneurs qui m'arrivent, et j'ai beaucoup de joie de vous voir revenue ici pour vous faire les très humbles excuses de l'extravagance de ma femme.

Dorimène. – Cela n'est rien, j'excuse en elle un pareil mouvement ; votre cœur lui doit être précieux, et il n'est pas étrange que la possession d'un homme comme vous puisse inspirer quelques alarmes[1].

M. Jourdain. – La possession de mon cœur est une chose qui vous est toute acquise.

Dorante. – Vous voyez, madame, que M. Jourdain n'est pas de ces gens que les prospérités[2] aveuglent, et qu'il sait, dans sa gloire, connaître encore ses amis.

Dorimène. – C'est la marque d'une âme tout à fait généreuse.

Dorante. – Où est donc Son Altesse turque ? Nous voudrions bien, comme vos amis, lui rendre nos devoirs[3].

M. Jourdain. – Le voilà qui vient, et j'ai envoyé quérir ma fille pour lui donner la main.

---

1. *Alarmes* : craintes, ici crises de jalousie.
2. *Prospérités* : événements heureux.
3. *Devoirs* : hommages.

Scène 4

CLÉONTE, COVIELLE, M. JOURDAIN, etc.

DORANTE. – Monsieur, nous venons faire la révérence à Votre
110   Altesse, comme amis de monsieur votre beau-père, et
l'assurer avec respect de nos très humbles services.

M. JOURDAIN. – Où est le truchement[1], pour lui dire qui vous
êtes, et lui faire entendre ce que vous dites ? Vous verrez
qu'il vous répondra, et il parle turc à merveille. Holà !
115   où diantre est-il allé ? *(À Cléonte.) Strouf, strif, strof, straf.*
Monsieur est un *grande Segnore, grande Segnore, grande
Segnore* ; et madame une *granda Dama, granda Dama.
Ahi*, lui, monsieur, lui *Mamamouchi* français, et madame
Mamamouchie française ; je ne puis pas parler plus
120   clairement. Bon, voici l'interprète. Où allez-vous donc ?
Nous ne saurions rien dire sans vous. Dites-lui un peu
que monsieur et madame sont des personnes de grande
qualité[2], qui lui viennent faire la révérence, comme mes
amis, et l'assurer de leurs services. Vous allez voir comme
125   il va répondre.

COVIELLE. – *Alabala crociam acci boram alabamen.*

CLÉONTE. – *Catalequi tubal ourin soter amalouchan.*

M. JOURDAIN. – Voyez-vous ?

COVIELLE. – Il dit que la pluie des prospérités arrose en tout
130   temps le jardin de votre famille !

M. JOURDAIN. – Je vous l'avais bien dit, qu'il parle turc.

DORANTE. – Cela est admirable.

---

1. *Le truchement* : l'interprète.
2. *De grande qualité* : de haute noblesse.

Scène 5

LUCILE, M. JOURDAIN, DORANTE,
DORIMÈNE, etc.

M. JOURDAIN. – Venez, ma fille, approchez-vous, et venez donner votre main à monsieur, qui vous fait l'honneur de vous demander en mariage.

LUCILE. – Comment, mon père, comme vous voilà fait ! Est-ce une comédie que vous jouez ?

M. JOURDAIN. – Non, non, ce n'est pas une comédie, c'est une affaire fort sérieuse, et la plus pleine d'honneur pour vous qui se peut souhaiter. Voilà le mari que je vous donne.

LUCILE. – À moi, mon père ?

M. JOURDAIN. – Oui, à vous : allons, touchez-lui dans la main, et rendez grâce au Ciel de votre bonheur.

LUCILE. – Je ne veux point me marier.

M. JOURDAIN. – Je le veux, moi qui suis votre père.

LUCILE. – Je n'en ferai rien.

M. JOURDAIN. – Ah ! que de bruit ! Allons, vous dis-je. Çà[1], votre main.

LUCILE. – Non, mon père, je vous l'ai dit, il n'est point de pouvoir qui me puisse obliger de prendre un autre mari que Cléonte ; et je me résoudrai plutôt à toutes les extrémités, que de… *(Reconnaissant Cléonte.)* Il est vrai que vous êtes mon père, je vous dois entière obéissance, et c'est à vous à disposer de moi selon vos volontés.

M. JOURDAIN. – Ah ! je suis ravi de vous voir si promptement revenue dans votre devoir, et voilà qui me plaît, d'avoir une fille obéissante.

---

1. Çà : allons.

Scène dernière

MME JOURDAIN, M. JOURDAIN,
CLÉONTE, etc.

MME JOURDAIN. – Comment donc ? qu'est-ce que c'est que
ceci ? On dit que vous voulez donner votre fille en
160   mariage à un carême-prenant[1].

M. JOURDAIN. – Voulez-vous vous taire, impertinente ? Vous
venez toujours mêler vos extravagances à toutes choses, et
il n'y a pas moyen de vous apprendre à être raisonnable.

MME JOURDAIN. – C'est vous qu'il n'y a pas moyen de rendre
165   sage, et vous allez de folie en folie. Quel est votre dessein[2],
et que voulez-vous faire avec cet assemblage[3] ?

M. JOURDAIN. – Je veux marier notre fille avec le fils du Grand
Turc.

MME JOURDAIN. – Avec le fils du Grand Turc !

170 M. JOURDAIN. – Oui, faites-lui faire vos compliments par le
truchement que voilà.

MME JOURDAIN. – Je n'ai que faire du truchement, et je lui
dirai bien moi-même à son nez qu'il n'aura point ma
fille.

175 M. JOURDAIN. – Voulez-vous vous taire, encore une fois ?

DORANTE. – Comment, madame Jourdain, vous vous opposez
à un bonheur comme celui-là ? Vous refusez Son Altesse
turque pour gendre ?

---

1. *Un carême-prenant* : un homme qui participe au carnaval du mardi
gras en se déguisant, et plus généralement un homme habillé d'une
façon extravagante.

2. *Dessein* : intention.

3. *Assemblage* : union.

MME JOURDAIN. – Mon Dieu, monsieur, mêlez-vous de vos
180   affaires.

DORIMÈNE. – C'est une grande gloire, qui n'est pas à rejeter.

MME JOURDAIN. – Madame, je vous prie aussi de ne vous
point embarrasser de ce qui ne vous touche pas.

DORANTE. – C'est l'amitié que nous avons pour vous qui
185   nous fait intéresser dans vos avantages[1].

MME JOURDAIN. – Je me passerai bien de votre amitié.

DORANTE. – Voilà votre fille qui consent aux volontés de son
père.

MME JOURDAIN. – Ma fille consent à épouser un Turc ?

190 DORANTE. – Sans doute.

MME JOURDAIN. – Elle peut oublier Cléonte ?

DORANTE. – Que ne fait-on pas pour être grande dame ?

MME JOURDAIN. – Je l'étranglerais de mes mains, si elle avait
fait un coup comme celui-là.

195 M. JOURDAIN. – Voilà bien du caquet. Je vous dis que ce
mariage-là se fera.

MME JOURDAIN. – Je vous dis, moi, qu'il ne se fera point.

M. JOURDAIN. – Ah ! que de bruit !

LUCILE. – Ma mère.

200 MME JOURDAIN. – Allez, vous êtes une coquine.

M. JOURDAIN. – Quoi ? vous la querellez de ce qu'elle
m'obéit ?

MME JOURDAIN. – Oui : elle est à moi, aussi bien qu'à vous.

COVIELLE. – Madame.

205 MME JOURDAIN. – Que me voulez-vous conter, vous ?

COVIELLE. – Un mot.

MME JOURDAIN. – Je n'ai que faire de votre mot.

COVIELLE, *à M. Jourdain*. – Monsieur, si elle veut écouter une

---

1. Intéresser dans vos avantages : prendre parti pour vous.

parole en particulier, je vous promets de la faire consen-
210   tir à ce que vous voulez.

MME JOURDAIN. – Je n'y consentirai point.

COVIELLE. – Écoutez-moi seulement.

MME JOURDAIN. – Non.

M. JOURDAIN. – Écoutez-le.

215   MME JOURDAIN. – Non, je ne veux pas l'écouter.

M. JOURDAIN. – Il vous dira…

MME JOURDAIN. – Je ne veux point qu'il me dise rien.

M. JOURDAIN. – Voilà une grande obstination de femme !
Cela vous fera-t-il mal, de l'entendre ?

220   COVIELLE. – Ne faites que m'écouter ; vous ferez après ce
qu'il vous plaira.

MME JOURDAIN. – Hé bien ! quoi ?

COVIELLE, *à part*. – Il y a une heure, madame, que nous vous
faisons signe. Ne voyez-vous pas bien que tout ceci n'est
225   fait que pour nous ajuster aux visions de votre mari,
que nous l'abusons[1] sous ce déguisement, et que c'est
Cléonte lui-même qui est le fils du Grand Turc ?

MME JOURDAIN. – Ah, ah !

COVIELLE. – Et moi Covielle qui suis le truchement ?

230   MME JOURDAIN. – Ah ! comme cela, je me rends.

COVIELLE. – Ne faites pas semblant de rien[2].

MME JOURDAIN. – Oui, voilà qui est fait, je consens au mariage.

M. JOURDAIN. – Ah ! voilà tout le monde raisonnable. Vous
ne vouliez pas l'écouter. Je savais bien qu'il vous expli-
235   querait ce que c'est que le fils du Grand Turc.

MME JOURDAIN. – Il me l'a expliqué comme il faut, et j'en
suis satisfaite. Envoyons quérir un notaire.

---

1. *Abusons* : trompons.
2. *Ne faites pas semblant de rien* : faites comme si de rien n'était.

DORANTE. – C'est fort bien dit. Et afin, madame Jourdain, que vous puissiez avoir l'esprit tout à fait content, et que vous perdiez aujourd'hui toute la jalousie que vous pourriez avoir conçue de monsieur votre mari, c'est que nous nous servirons du même notaire pour nous marier, madame et moi.

MME JOURDAIN. – Je consens aussi à cela.

M. JOURDAIN. – C'est pour lui faire accroire[1].

DORANTE. – Il faut bien l'amuser avec cette feinte[2].

M. JOURDAIN. – Bon, bon. Qu'on aille vite quérir le notaire.

DORANTE. – Tandis qu'il viendra, et qu'il dressera les contrats, voyons notre ballet, et donnons-en le divertissement à Son Altesse turque.

M. JOURDAIN. – C'est fort bien avisé : allons prendre nos places.

MME JOURDAIN. – Et Nicole ?

M. JOURDAIN. – Je la donne au truchement ; et ma femme à qui la voudra.

COVIELLE. – Monsieur, je vous remercie. Si l'on en peut voir un plus fou, je l'irai dire à Rome.

La comédie finit par un petit ballet qui avait été préparé.

---

1. *Lui faire accroire* : la tromper, lui faire croire des mensonges.
2. *Feinte* : tromperie.

Ballet des nations

PREMIÈRE ENTRÉE

Un homme vient donner les livres du ballet[1], qui d'abord est fatigué[2] par une multitude de gens de provinces différentes, qui crient en musique pour en avoir, et par trois importuns, qu'il trouve toujours sur ses pas.

Dialogue des gens qui en musique demandent des livres

TOUS
5   *À moi, monsieur, à moi de grâce, à moi, monsieur :*
    Un livre, s'il vous plaît, à votre serviteur.

HOMME DU BEL AIR[3]
Monsieur, distinguez-nous parmi les gens qui crient.
Quelques livres ici, les dames vous en prient.

AUTRE HOMME DU BEL AIR
Holà! monsieur, monsieur, ayez la charité
10   *D'en jeter de notre côté.*

FEMME DU BEL AIR
    Mon Dieu! qu'aux personnes bien faites[4]
    On sait peu rendre honneur céans.

---

1. ***Livres du ballet*** : livrets, programmes distribués aux spectateurs.
2. ***D'abord est fatigué*** : est tout de suite importuné.
3. ***Du bel air*** : aux manières distinguées.
4. ***Bien faites*** : biens mises, bien habillées.

Ils n'ont des livres et des bancs
Que pour mesdames les grisettes[1].

GASCON

15 *Aho! l'homme aux libres, qu'on m'en vaille*[2]*!*
J'ai déjà lé poumon usé.
Bous boyez qué chacun mé raille;
Et je suis escandalisé
De boir és[3] *mains dé la canaille*
20 *Cé qui m'est par bous refusé.*

AUTRE GASCON

Eh cadédis[4]*! Monseu, boyez qui l'on pût être :*
Un libret, je bous prie, au varon d'Asbarat.
Jé pense, mordy[5]*, qué lé fat*
N'a pas l'honnur dé mé connaître.

LE SUISSE

25 *Mon'-sieur le donneur de papieir,*
Que veul dir sti façon de fifre?
Moy l'écorchair tout mon gosieir
À crieir,

---

1. *Grisettes* : femmes coquettes, de condition sociale modeste (terme péjoratif).
2. *Vaille* : mis pour «baille», qui signifie «donne» (Molière se moque du parler gascon, notamment, en remplaçant les «b» par des «v» et *vice versa*, ainsi que les «e» par des «é»).
3. *És* : dans les.
4. *Cadédis* : juron gascon.
5. *Mordy* : mordieu (juron).

Sans que je pouvre afoir ein lifre :
30 Pardy, mon foi ! Mon'-sieur, je pense fous l'être ifre[1].

VIEUX BOURGEOIS BABILLARD

De tout ceci, franc et net,
Je suis mal satisfait ;
Et cela sans doute est laid,
Que notre fille,
35 Si bien faite et si gentille,
De tant d'amoureux l'objet,
N'ait pas à son souhait
Un livre de ballet,
Pour lire le sujet
40 Du divertissement qu'on fait,
Et que toute notre famille
Si proprement s'habille,
Pour être placée au sommet
De la salle, où l'on met
45 Les gens de Lantriguet[2] :
De tout ceci, franc et net,
Je suis mal satisfait,
Et cela sans doute est laid.

VIEILLE BOURGEOISE BABILLARDE

Il est vrai que c'est une honte,
50 Le sang au visage me monte,
Et ce jeteur de vers qui manque au capital[3]

___

1. Le texte imite l'accent suisse, notamment en remplaçant les « v » par
des « f » (« fifre » pour « vivre »), et en utilisant les terminaisons « eir » et
« air ».

2. *Lantriguet* : ancien nom de Tréguier (ville bretonne).

3. *Au capital* : à l'essentiel.

L'entend fort mal ;
C'est un brutal,
Un vrai cheval,
55   Franc animal,
De faire si peu de compte
D'une fille qui fait l'ornement principal
Du quartier du Palais-Royal,
Et que ces jours passés un comte
60   Fut prendre la première au bal.
Il l'entend mal ;
C'est un brutal,
Un vrai cheval,
Franc animal.

HOMMES ET FEMMES DU BEL AIR

65 Ah ! quel bruit !

Quel fracas !

Quel chaos !

Quel mélange !

Quelle confusion !

70   Quelle cohue étrange !
Quel désordre !

Quel embarras !

On y sèche.

L'on n'y tient pas.

GASCON

75 Bentré ! je suis à vout.

AUTRE GASCON
J'enrage, Diou mé damne !

SUISSE

Ah que ly faire saif dans sty sal de cians !

GASCON

Jé murs.

AUTRE GASCON

Jé perds la tramontane[1].

SUISSE

80 *Mon foi ! moi le foudrais être, hors de dedans.*

VIEUX BOURGEOIS BABILLARD

Allons, ma mie[2],
Suivez mes pas,
Je vous en prie,
Et ne me quittez pas :
85 *On fait de nous trop peu de cas,*
Et je suis las
De ce tracas :
Tout ce fatras,
Cet embarras
90 *Me pèse par trop sur les bras.*
S'il me prend jamais envie
De retourner de ma vie
À ballet ni comédie,
Je veux bien qu'on m'estropie.
95 *Allons, ma mie,*

---

1. ***Je perds la tramontane*** : je perds le nord, c'est-à-dire je ne sais plus où je suis.
2. ***Ma mie*** : mon amie (expression affectueuse par laquelle il désigne sa femme).

> *Suivez mes pas,*
> *Je vous en prie,*
> *Et ne me quittez pas ;*
> *On fait de nous trop peu de cas.*

Vieille bourgeoise babillarde

100
> *Allons, mon mignon, mon fils[1],*
> *Regagnons notre logis,*
> *Et sortons de ce taudis,*
> *Où l'on ne peut être assis :*
> *Ils seront bien ébaubis[2]*
105
> *Quand ils nous verront partis.*
> *Trop de confusion règne dans cette salle,*
> *Et j'aimerais mieux être au milieu de la Halle[3].*
> *Si jamais je reviens à semblable régale,*
> *Je veux bien recevoir des soufflets plus de six.*
110
> *Allons, mon mignon, mon fils,*
> *Regagnons notre logis,*
> *Et sortons de ce taudis,*
> *Où l'on ne peut être assis.*

Tous

> *À moi, monsieur, à moi de grâce, à moi, monsieur :*
115
> *Un livre, s'il vous plaît, à votre serviteur.*

---

1. Mon fils : expression affectueuse par laquelle elle désigne son mari.
2. Ébaubis : stupéfaits.
3. Halle : place publique où se tient le marché.

Les trois importuns dansent.

TROISIÈME ENTRÉE

Trois Espagnols *chantent.*

Sé que me muero de amor,
Y solicito el dolor.
Aun muriendo de querer,
De tan buen ayre adolezco,
120   *Que es mas de lo que padezco*
Lo que quiero padecer,
Y no pudiendo exceder
A mi deseo el rigor.

Sé que me muero de amor,
125   *Y solicito el dolor.*

Lisonxeame la suerte
Con piedad tan advertida,
Que me assegura la vida
En el riesgo de la muerte.
130   *Vivir de su golpe fuerte*
Es de mi salud prirnor.

Sé que, etc.[1]

---

1. «Je sais que je meurs d'amour,/ Et je recherche la douleur./ Quoique
mourant de désir,/ Je dépéris de si bon air,/ Que ce que je désire souffrir/
Est plus que ce que je souffre,/ Et la rigueur de mon mal/ Ne peut excéder
mon désir./ Je sais que je meurs d'amour,/ Et je recherche la douleur./ Le
sort me flatte/ Avec une pitié si attentive/ Qu'il m'assure la vie/ Dans le

Six Espagnols dansent.

TROIS MUSICIENS ESPAGNOLS

Ay! que locura, con tanto rigor
135 *Quexarse de Amor,*
Del niño bonito
Que todo es dulçura!
Ay! que locura!
Ay! que locura[1]!

ESPAGNOL, *chantant.*

140 *El dolor solicita*
El que al dolor se da;
Y nadie de amor muere,
Sino quien no save amar[2].

DEUX ESPAGNOLS

Dulce muerte es el amor
145 *Con correspondencia ygual;*
Y si esta gozamos o,
Porque la quieres turbar[3]?

UN ESPAGNOL

Alegrese enamorado,
Y tome mi parecer;

---

danger de la mort./ Vivre d'un coup si fort/ Est le prodige de mon salut./ Je sais que, etc.»

1. «Ah! quelle folie de se plaindre/ Avec tant de rigueur de l'amour,/ De l'enfant gentil/ Qui est la douceur même!/ Ah! quelle folie! Ah! quelle folie!»

2. «La douleur tourmente/ Celui qui s'abandonne à la douleur;/ Et ne meurt d'amour,/ Que celui qui ne sait pas aimer.»

3. «L'amour est une douce mort/ Quand il est réciproque;/ Et si nous en jouissons aujourd'hui,/ Pourquoi la veux-tu troubler?»

Que en esto de querer,
Todo es hallar el vado[1].

TOUS TROIS ENSEMBLE

Vaya, vaya de fiestas!
Vaya de vayle!
Alegria, alegria, alegria!
Que esto de dolor es fantasia[2].

QUATRIÈME ENTRÉE
ITALIENS

UNE MUSICIENNE ITALIENNE *fait le premier récit,*
dont voici, les paroles :

Di rigori armata il seno,
Contro amor mi ribellai;
Ma fui vinta in un baleno
In mirar duo vaghi rai;
Ahi! che resiste puoco
Cor di gelo a stral di fuoco!
Ma si caro è'l mio tormento,
Dolce è si la piaga mia,
Ch'il penare è'l mio contento,
E'l sanarmi è tirannia.
Ahi! che più giova e piace,
Quanto amor è più vivace[3]*!*

---

1. «Que l'amant se réjouisse,/ Et adopte mon avis;/ Car, lorsqu'on aime,/ Le tout est de trouver le moyen d'aimer.»
2. «Allons, allons, des fêtes!/ Allons, de la danse!/ Gai, gai, gai!/ La douleur n'est qu'une illusion.»
3. «Ayant armé mon sein de rigueurs,/ Je me révoltai contre l'amour;/ Mais je fus vaincue en un clin d'œil/ En regardant deux beaux yeux;/

Après l'air que la musicienne a chanté, deux Scaramouches, deux
Trivelins et un Arlequin[1] représentent une nuit à la manière des
170 *comédiens italiens, en cadence.*
Un musicien italien se joint à la musicienne italienne, et chante
avec elle les paroles qui suivent :

LE MUSICIEN ITALIEN

> *Bel tempo che vola*
> *Rapisce il contento ;*
175 > *D'Amor nella scola*
> *Si coglie il momento[2].*

LA MUSICIENNE

> *Insin che florida*
> *Ride l'età,*
> *Che pur tropp'orrida*
180 > *Da noi sen và[3].*

TOUS DEUX

> *Sù cantiamo,*
> *Sù godiamo*
> *Né bei dì di gioventù :*
> *Perduto ben non si racquista più[4].*

Ah ! comme résiste peu/ Un cœur de glace à une flèche de feu !/ Mais
mon tourment m'est si cher,/ Et si douce est ma blessure,/ Que ma
souffrance fait mon bonheur,/ Et que me guérir serait une tyrannie./ Ah !
plus l'amour est vif,/ Plus il y a de joie et de plaisir ! »
1. *Scaramouche*, *Trivelin* et *Arlequin* sont des personnages de la
commedia dell'arte.
2. « Le beau temps qui s'envole/ Emporte le plaisir ;/ À l'école de l'Amour/
On cueille l'instant présent. »
3. « Tant que l'âge en fleur/ Nous sourit,/ L'âge qui trop vite, hélas !/
s'éloigne de nous. »
4. « Allons ! chantons,/ Allons ! jouissons,/ Dans les beaux jours de la
jeunesse :/ Un bien perdu ne se retrouve plus ! »

185 *Pupilla che vaga*
    Mill'alme incatena
    Fà dolce la piaga,
    Felice la pena[1].

MUSICIENNE

    Ma poiche frigida
190   *Langue l'età,*
    Più l'alma rigida
    Fiamme non ha[2].

TOUS DEUX

Sù cantiamo, etc.[3]

Après le dialogue italien, les Scaramouches et Trivelins dansent
195 *une réjouissance.*

CINQUIÈME ENTRÉE
FRANÇAIS

PREMIER MENUET

DEUX MUSICIENS POITEVINS *dansent et chantent*
les paroles qui suivent.
Ah! qu'il fait beau dans ces bocages!
Ah! que le Ciel donne un beau jour!

---

1. «Un bel œil/ Enchaîne mille cœurs/ Rend douce la blessure,/ Et heureuse
la peine.»
2. «Mais quand languit/ L'âge glacé,/ L'âme engourdie/ N'a plus de feu.»
3. «Allons, chantons, etc.»

AUTRE MUSICIEN
Le rossignol, sous ces tendres feuillages,
Chante aux échos son doux retour :

200
       Ce beau séjour,
       Ces doux ramages,
       Ce beau séjour
    Nous invite à l'amour.

SECOND MENUET

Tous deux *ensemble.*

    Vois, ma Climène,
205
    Vois sous ce chêne
S'entre-baiser ces oiseaux amoureux ;
  Ils n'ont rien dans leurs vœux
     Qui les gêne ;
    De leurs doux feux
210
    Leur âme est pleine.
    Qu'ils sont heureux !
  Nous pouvons tous deux,
    Si tu le veux,
    Être comme eux.

215 *Six autres Français viennent après, vêtus galamment à la poitevine, trois en hommes et trois en femmes, accompagnés de huit flûtes et de hautbois, et dansent les menuets.*

SIXIÈME ENTRÉE

Tout cela finit par le mélange des trois nations, et les applaudissements en danse et en musique de toute l'assistance, qui chante

les deux vers qui suivent :

Quels spectacles charmants, quels plaisirs goûtons-nous !
Les dieux mêmes, les dieux n'en ont point de plus doux.

■ Cérémonie turque (intermède de l'acte IV) dans la mise en scène de Jean-Louis Benoit à la Comédie-Française, en 2000 (avec Michel Robin dans le rôle de M. Jourdain, au centre).

DOSSIER

Vocabulaire d'analyse d'une pièce de théâtre

APARTÉ : parole que prononce un personnage sur scène, à l'insu des autres personnages, et que le public est seul censé entendre.

COUP DE THÉÂTRE : renversement soudain de situation.

DÉNOUEMENT : résolution de l'intrigue de la pièce.

DIDASCALIES : indications que l'auteur donne sur l'organisation du texte (numéro de l'acte, de la scène, nom des personnages) et sur la mise en scène de sa pièce (expressions des personnages, déplacements, décors...) ; elles ne font pas partie des dialogues.

INTERMÈDE : divertissement chanté ou dansé qui se situe entre deux actes.

INTRIGUE : histoire racontée par la pièce.

PÉRIPÉTIE : événement qui modifie le déroulement de l'intrigue.

RÉPLIQUE : texte dit par un personnage au cours d'un dialogue.

SCÈNES D'EXPOSITION : scènes situées au début de la pièce et qui offrent les informations nécessaires à la compréhension de la situation initiale (lieu, époque, heure, personnages, enjeux, ton de la pièce).

TIRADE : réplique longue et ininterrompue d'un personnage, qui prend la forme d'un discours.

Avez-vous bien lu ?

Molière en son temps

Pour répondre aux questions suivantes, relisez la présentation, p. 7 à 19.

1. Quel est le vrai nom de Molière ?

2. À quelle profession était-il destiné par son père ?

3. Avec qui monte-t-il sa première troupe ? Comment se nomme-t-elle ?

4. Dans quels théâtres Louis XIV lui offre-t-il de s'installer ?

5. Avec quelle troupe partage-t-il ces deux théâtres ?

6. Comment le roi témoigne-t-il son amitié à Molière ?

7. Où sont montées les comédies-ballets ?

8. Quels sont les trois arts qui se mêlent dans les comédies-ballets ?

9. Avec quel compositeur italien Molière crée-t-il de nombreux spectacles ?

10. De quand date *Le Bourgeois gentilhomme* ?

Le Bourgeois gentilhomme

Après avoir lu la pièce, indiquez si les affirmations suivantes sont vraies ou fausses.

	Vrai	Faux
Les maîtres de M. Jourdain considèrent qu'il est stupide.		
M. Jourdain prend des cours de musique et de danse car il souhaite devenir artiste professionnel.		
Mme Jourdain et Nicole sont impressionnées par les nouvelles connaissances de M. Jourdain et soutiennent ses ambitions.		
L'amitié que Dorante témoigne à M. Jourdain est loyale et désintéressée.		
Grâce au comte Dorante, M. Jourdain espère parvenir à séduire la marquise Dorimène.		
M. Jourdain refuse de donner sa fille en mariage à Cléonte car le jeune homme n'est pas assez riche.		
Le valet Covielle imagine une ruse pour faire accepter à M. Jourdain le mariage de son maître avec Lucile.		
Cette ruse consiste à faire passer Cléonte pour le fils du souverain de l'Empire ottoman.		
À la fin de la pièce, M. Jourdain est anobli.		
La pièce se termine par trois mariages : celui de Lucile et Cléonte, celui de Covielle et Nicole, et celui de Dorante et Dorimène.		

Au fil du texte

Répondez aux questions suivantes. Pour repérer les procédés d'écriture mis en œuvre par Molière, aidez-vous du lexique, p. 162

Acte I

1. Quelles informations nous donnent les deux premières scènes sur le lieu où se déroule l'action et sur le personnage principal, M. Jourdain (statut social, ambition, caractère)? Comment s'appellent les scènes de ce type?

Acte II

2. Dans la scène 2, pourquoi les maîtres de danse, de musique et de chant se disputent-ils? Que remarquez-vous, concernant la forme des répliques et le rythme du dialogue, à partir de « Tout beau, monsieur le tireur d'armes : ne parlez de la danse qu'avec respect » (l. 101-102)? Quel est l'effet produit?

3. Expliquez la didascalie qui ouvre la scène 4. Pourquoi rend-elle comique la deuxième réplique du maître de philosophie : « Un philosophe sait recevoir comme il faut les choses »?

4. Dans la scène 5, quel lien existe-t-il entre le dialogue de M. Jourdain avec les garçons tailleurs et le ballet du deuxième intermède?

Acte III

5. Dans la scène 4, relevez les apartés de Mme Jourdain, prononcés à l'insu de son mari et de Dorante : que révèlent-ils de son jugement sur les deux hommes (attention, ces apartés ne sont pas indiqués par des didascalies). Les scènes qui suivent lui donnent-elles raison ou tort?

6. Dans la scène 7, quelle réplique de Mme Jourdain résume les deux intrigues amoureuses de la pièce ?

7. Dans la scène 12, quelle réplique de Mme Jourdain peut-on qualifier de tirade ? Quelle idée cherche-t-elle à y défendre ?

8. Quelle péripétie Covielle annonce-t-il à la fin de l'acte III ?

Acte IV

9. Dans la première scène, quelle réplique de Dorante peut être qualifiée de tirade ? Qu'y décrit le comte ? dans quel but ?

10. Dans la scène 2, peut-on dire que l'arrivée de Mme Jourdain constitue un coup de théâtre ?

Acte V

11. Dans la scène 5, quelle didascalie permet au lecteur de comprendre le comportement de Lucile ?

12. Pourquoi l'arrivée de Mme Jourdain dans la scène 6 retarde-t-elle le dénouement ?

Pour aller plus loin

Les personnages de la comédie

Des personnages représentatifs d'une classe sociale

Au temps de Louis XIV, la société était officiellement divisée en trois catégories – le clergé, la noblesse et le tiers état. Cependant, comme le montre *Le Bourgeois gentilhomme*, qui ne met en scène que les deux dernières catégories, cette répartition ne rend pas compte des différents statuts sociaux qui forment le tiers état (bourgeois, serviteurs, artisans, ouvriers, paysans...). Classez les personnages suivants selon leur classe sociale : Covielle, Dorimène, M. et Mme Jourdain, Nicole, Dorante.

Tiers état		Noblesse
Serviteurs	Grande bourgeoisie	

La fonction dramatique et le caractère des personnages

On peut considérer qu'il y a deux parties dans *Le Bourgeois gentilhomme* : une série de « sketches » relativement autonomes, mettant en scène M. Jourdain et ses « maîtres » (de musique, à danser, d'armes, de philosophie, et le tailleur), dans les deux premiers actes, puis une véritable intrigue (le mariage de Lucile et Cléonte), qui commence au début du troisième acte et trouve son dénouement à la fin du cinquième.

Pourtant, tous les personnages de la pièce, qu'ils interviennent ou non dans une scène relevant de l'intrigue principale, ont pour fonction de mieux faire ressortir la folie de M. Jourdain.

1. Dans le tableau suivant, déterminez la fonction dramatique de chacun d'entre eux (les personnages ont été classés par ordre d'apparition). Attention, un personnage peut assumer plusieurs fonctions !

Fonction / Personnages	Hypocrite profitant de la folie du héros	Raisonneur (qui cherche à ramener le héros à la raison)	Victime du héros maniaque	Auxiliaire des victimes du héros (qui cherche à les aider)
Maître de musique				
Maître à danser				
Maître d'armes				
Maître de philosophie				
Maître tailleur				
Nicole				
Mme Jourdain				
Dorante				
Cléonte				
Covielle				
Lucile				
Dorimène				

2. Utilisez trois adjectifs pour définir plus précisément le caractère de chacun de ces personnages ainsi que celui de

M. Jourdain. Pour vous aider, voici une liste d'adjectifs que vous avez rencontrés dans la pièce de Molière. Choisissez ceux qui conviennent, en tenant compte du sens qu'ils ont au XVIIᵉ siècle :

> bilieux (-euse); éclairé(e); extravagant(e); fidèle; fou/folle; galant(e); habile; ignorant(e); impertinent(e); insolent(e); magnifique; opiniâtre; passionné(e); perfide; ridicule; sage; sensé(e).

Des rôles hérités de la *commedia dell'arte*

Certains des personnages de la pièce de Molière reprennent les caractéristiques des personnages de la *commedia dell'arte*, que le public de Molière connaît bien et apprécie.

Observez la planche d'André Degaine, p. 20-21, et renseignez-vous sur les rôles types joués par les acteurs de la *commedia dell'arte* en faisant une recherche au CDI. À votre avis, quel(s) personnage(s) du *Bourgeois gentilhomme* peut-on associer à chacun des rôles suivants ?

Le vieillard : ....

Les amoureux : ....

Le *zanni* rusé : ....

La soubrette : ....

Le *dottore* (le docteur) : ....

Les formes de comique dans *Le Bourgeois gentilhomme*

Quatre types traditionnels de comique

On distingue traditionnellement quatre types de comique, qui sont tous présents dans *Le Bourgeois gentilhomme* :

> LE COMIQUE DE GESTE : l'effet comique vient de la gestuelle des personnages – coups de bâton, gifles, mimiques, etc.
>
> LE COMIQUE DE SITUATION : le comique provient d'une situation inattendue, que comprend le spectateur mais que ne perçoivent pas tous les personnages.
>
> LE COMIQUE DE MOT : l'effet comique vient de la consonance d'un mot, de la façon dont il est prononcé, de sa répétition, ou d'un jeu de mots.
>
> LE COMIQUE DE CARACTÈRE : l'effet comique vient de la personnalité du personnage qui ne parvient pas à cacher ses défauts.

1. Pourquoi peut-on dire que la cérémonie turque (acte IV, scène 5) réunit les quatre types de comique ?

2. Dans le reste de la pièce, repérez au moins un exemple de :

– comique de geste : ....

– comique de situation : ....

– comique de mot : ....

– comique de caractère : ....

Le comique de fantaisie

Le comique de fantaisie est le comique qui préside au carnaval : le rire naît de la représentation d'un monde renversé, où les êtres n'ont pas l'apparence qu'ils ont habituellement (ils avancent masqués) et dans lequel tous les désirs les plus fous se réalisent.

1. Relevez dans la pièce les répliques des personnages qui font allusion au carnaval :

– Acte III, scène 3 : . . . .

– Acte III, scène 13 : . . . .

– Acte V, scène première : . . . .

2. Selon vous, dans quelle scène culmine l'esprit de carnaval ?

La satire du « snobisme »

On parle de satire à propos d'une œuvre qui, par le rire, s'en prend à un comportement jugé ridicule ou immoral. Dans *Le Bourgeois gentilhomme*, les procédés comiques sont mis au service de la critique du snobisme incarné dans le personnage principal, M. Jourdain.

À l'époque où la pièce est écrite, d'autres genres littéraires se développent qui, à l'instar la comédie, poursuivent le double but de divertir et d'instruire. C'est en effet la visée de la fable, à laquelle La Fontaine consacre deux recueils, en 1668 et 1678-1679.

Par la satire qu'elle contient, la fable « La Grenouille qui se veut faire aussi grosse que le Bœuf » peut être rapprochée du *Bourgeois gentilhomme*.

« La Grenouille qui se veut faire aussi grosse que le Bœuf »

Une Grenouille vit un bœuf

Qui lui sembla de belle taille.

Elle qui n'était pas grosse en tout comme un œuf

Envieuse[1] s'étend, et s'enfle, et se travaille

Pour égaler l'animal en grosseur,

Disant : « Regardez bien, ma sœur ;

Est-ce assez ? dites-moi. N'y suis-je point encore ?

_____

1. *Envieuse* : jalouse.

– Nenni[1]. – M'y voici donc ? – Point du tout. – M'y voilà ?
– Vous n'en approchez point.» La chétive[2] pécore[3]
      S'enfla si bien qu'elle creva[4].
Le monde est plein de gens qui ne sont pas plus sages :
Tout Bourgeois veut bâtir comme les grands Seigneurs,
    Tout petit Prince a des Ambassadeurs,
      Tout Marquis veut avoir des Pages[5].

La Fontaine, *Le Corbeau et le Renard et autres fables*,
Livre I, fable 3, GF-Flammarion,
coll. «Étonnants classiques», 2007.

1. Distinguez, au sein de la fable, l'histoire et la morale.

2. Pourquoi peut-on rapprocher l'histoire de la fable de l'intrigue du *Bourgeois gentilhomme* ?

3. Pour autant, à l'issue de la pièce, le spectateur du *Bourgeois gentilhomme* est-il invité à partager l'avis selon lequel «*Tout* Bourgeois veut bâtir comme les grands Seigneurs» ?

4. À votre tour : à la manière de La Fontaine, rédigez la morale du *Bourgeois gentilhomme*.

---

1. *Nenni* : non.

2. *Chétive* : maigre, de petite taille ; de faible constitution, c'est-à-dire fragile et faible.

3. *Pécore* : bête.

4. *Creva* : éclata.

5. *Pages* : serviteurs (au XVIIᵉ siècle, ce sont de jeunes nobles au service du roi ou d'un seigneur).

La comédie-ballet, un art de cour

Le genre de la comédie-ballet est né à la faveur d'une fête organisée en l'honneur du roi Louis XIV. Il s'est développé sous l'impulsion du souverain : satisfaisant son goût pour la musique et la danse, ce dernier s'employait aussi à mettre l'art au service de son pouvoir.

Pour étudier, à partir de la comédie-ballet, les liens entre art et pouvoir sous le règne de Louis XIV, nous vous invitons à vous poser les questions suivantes : dans quelle mesure les artistes dépendaient-ils du roi ? Pourquoi celui-ci a-t-il encouragé les arts, et plus particulièrement les spectacles grandioses ? Comment la comédie-ballet s'est-elle mise au service du pouvoir du roi ?

Lully, comme Molière, un artiste de la cour de Louis XIV

Giovanni Battista Lulli naît en 1632 à Florence, en Italie, dans une famille modeste. En 1646, à quatorze ans, il est recruté par le duc de Guise : l'Italie est à la mode en France, et la nièce du duc, Mlle de Montpensier, veut apprendre l'italien. C'est ainsi que le jeune Giovanni Battista arrive en France en tant que «garçon de chambre», fonction qu'il occupe jusqu'en 1652. En 1653, il danse devant Louis XIV dans le *Ballet de la Nuit* et charme le souverain. Moins d'un mois plus tard, il est nommé compositeur à la cour. Il devient rapidement un courtisan en vue et un compositeur de ballets à succès. En alliant musique instrumentale et musique vocale, et en mêlant la tradition française de la danse et la tradition italienne du chant, il invente un style inédit, qui plaît au roi. Le souverain lui témoigne son amitié et son estime : en 1661, le compositeur obtient la nationalité française (sous le nom de Jean-Baptiste Lully) et il est nommé surintendant de la Musique du roi et compositeur de la Chambre.

Dans les années 1660, il participe activement aux cérémonies de la cour : par exemple, il crée le trio de chambre pour la cérémonie du « petit coucher » du roi. Il écrit la musique des divertissements de cour : dès 1665, ses compositions pour les bals de la cour sont publiées. C'est à la même période que le roi lui demande de collaborer avec Molière pour créer des comédies-ballets destinées à être représentées durant les divertissements royaux.

Dans les années 1670, il compose des opéras (ou tragédies lyriques), genre nouveau venu d'Italie qui rencontre un succès grandissant à la cour du Roi-Soleil. En 1672, Lully parvient à acheter le privilège de l'opéra pour toute la France : il possède ainsi le droit d'exclusivité des représentations où figurent plus de deux airs de deux instruments. Il est nommé directeur de l'Académie royale de musique et continue à créer avec succès pendant quinze ans des pastorales, des opéras, des ballets et des musiques de cérémonie. Il reçoit l'aide de Louis XIV, qui finance les répétitions et les premières représentations des spectacles, somptueusement mis en scène à la cour. Il meurt en pleine gloire en 1687.

En vous aidant de la présentation de l'édition, comparez les carrières de Molière et de Lully : quels sont leurs points communs ? Quel rôle Louis XIV y a-t-il joué ?

L'importance des spectacles expliquée par le roi

Entre 1661 et 1668, Louis XIV rédige des *Mémoires pour l'instruction du Dauphin*, afin d'enseigner à son fils, futur héritier du trône, le fonctionnement du royaume et les devoirs du souverain. Dans le passage qui suit, il lui explique pourquoi il est important d'organiser de nombreux divertissements.

Cette société de plaisirs, qui donne aux personnes de la cour une honnête familiarité avec nous, les touche et les charme plus qu'on ne peut dire. Les peuples, d'un autre côté, se plaisent au spectacle où, au fond, on a toujours pour but de leur plaire ; et tous nos sujets, en général, sont ravis de voir que nous aimons ce qu'ils aiment, ou à quoi ils réussissent le mieux. Par là nous tenons leur esprit et leur cœur, quelquefois plus fortement peut-être, que par des récompenses et des bienfaits ; et à l'égard des étrangers dans un État qu'ils voient florissant d'ailleurs et bien réglé, ce qui se consume en ces dépenses qui peuvent passer pour superflues fait sur eux une impression très avantageuse de magnificence[1], de puissance, de richesse et de grandeur.

Louis XIV, *Mémoires pour l'instruction du Dauphin, 1661-1668*, éd. Pierre Goubert, Imprimerie nationale, 1992, p. 135-136.

D'après Louis XIV, pourquoi un souverain doit-il organiser des divertissements ?

---

1. *Magnificence* : splendeur.

La comédie-ballet : mise en scène du pouvoir du roi

La représentation d'une comédie-ballet devant la cour

Dans une série de gravures, Israël Silvestre (1621-1691) a représenté les grands divertissements organisés par Louis XIV à Versailles en 1664, *Les Plaisirs de l'Île enchantée*, auxquels il a assisté. Sur l'une de ces gravures (reproduite p. 22), il figure le théâtre sur lequel fut jouée *La Princesse d'Élide*, comédie-ballet de Molière et Lully.

  1. Observez la scène : quels éléments du décor contribuent à donner au spectacle un caractère grandiose ?

  2. Observez le public : de qui s'agit-il ? Où se situe le roi ? Pourquoi ?

Le prologue de *L'Amour médecin*

L'Amour médecin est une comédie-ballet créée par Molière et Lully en 1665, à Versailles. Dans son prologue, sans lien avec l'intrigue, Molière offre une représentation allégorique de la comédie-ballet, en faisant dialoguer trois chanteurs représentant la comédie, la musique et la danse. Le texte constitue un éloge du souverain qui a permis la création de ce genre inédit.

LA COMÉDIE

Quittons, quittons notre vaine querelle[1].
Ne nous disputons point nos talents[2] tour à tour.
Et d'une gloire plus belle
Piquons-nous[3] en ce jour :

---

1. *Quittons notre vaine querelle* : arrêtons de nous disputer sans raison.
2. *Ne nous disputons point nos talents* : ne faisons pas de nos talents un objet de dispute entre nous.
3. *Piquons-nous* : vantons-nous.

Unissons-nous tous trois d'une ardeur sans seconde[1].
Pour donner du plaisir au plus grand roi du monde[2].

TOUS TROIS

Unissons-nous...

LA COMÉDIE

De ses travaux, plus grands qu'on ne peut croire,
Il se vient quelquefois délasser[3] parmi nous :

Est-il de plus grande gloire,
Est-il bonheur plus doux?
Unissons-nous tous trois...

TOUS TROIS

Unissons-nous...

Molière, *L'Amour médecin, Le Sicilien ou l'Amour peintre,*
GF-Flammarion, coll. «Étonnants Classiques»,
2009, p. 35-36.

1. D'après ce prologue, quelle est la fonction de la comédie-ballet ?

2. Comment ce prologue rend-il hommage à Louis XIV ?

---

1. *Sans seconde* : sans pareille, unique.
2. *Au plus grand roi du monde* : à Louis XIV (périphrase).
3. *Délasser* : détendre.

Mettre en scène
Le Bourgeois gentilhomme

De sa création à nos jours, le succès du *Bourgeois gentilhomme* ne s'est pas démenti. De nombreux metteurs en scène portent le spectacle de Molière et Lully sur les planches : par les choix qu'ils effectuent, ils offrent tous une version différente de l'œuvre.

C'est précisément au rôle des metteurs en scène que nous vous proposons de réfléchir, en étudiant les interprétations que deux d'entre eux donnent, par leur travail, à la pièce, puis en comparant plusieurs choix de représentation pour un même personnage – le maître de philosophie –, et enfin en envisageant l'évolution de la fameuse cérémonie turque, du XVIIe siècle à nos jours.

Qu'est-ce que la mise en scène ?
Le travail de Jean-Louis Benoit en 2000

Début des répétitions du spectacle à la Comédie-Française

Metteur en scène, peintre et écrivain, Françoise Spiess a suivi les répétitions du *Bourgeois gentilhomme* mis en scène par Jean-Louis Benoit à la Comédie-Française en 2000. Elle fait ici le récit de la première séance de répétition (ou « filage ») à laquelle elle assiste.

Un jour de juillet, treize heures, sous les arcades, dans les jardins du Palais-Royal. J'ouvre la porte *entrée des artistes*, c'est la Comédie-Française. Une assistante me guide d'escaliers en couloirs. Enfin, après avoir mis le doigt sur la bouche, elle pousse un battant : je suis dans la salle Richelieu ! On y répète *Le Bourgeois gentilhomme*. Le travail a commencé depuis plusieurs minutes. Peu à peu, dans la semi-pénombre, je distingue le metteur en scène, Jean-Louis Benoit, et Alain Chambon, le scénographe. Autour d'eux, l'assistante du metteur en scène, texte en main, le responsable de la lumière devant sa console, une couturière, une aiguille enfilée à la main, des acteurs, plus ou moins costumés.

Sur la scène, Michel Robin joue un M. Jourdain, âgé, perdu, fragile […].

Nous sommes à la scène 1 de l'acte III. Le magnifique repas offert par M. Jourdain à Dorimène s'est mal terminé, interrompu par l'arrivée d'une Mme Jourdain hors d'elle. Covielle, joué par Éric Génovèse, entre en dansant. Il est jeune, sûr de lui, séduisant.

Le décor me fascine : un temple grec, des arbres verts, un rideau blanc, un piano à queue, une table dressée à l'antique, recouverte de victuailles, bananes, raisins noirs, homards. Ces couleurs se retrouvent dans les coussins. J'apprends que ces couleurs sont encore provisoires.

[…] Ce décor qui emprunte autant à l'esprit du XVIIe siècle qu'à l'Antiquité nous plonge dans ce monde de plaisirs auxquels ce commerçant vieillissant aspire. La fascination qu'exerce sur nous ce décor, c'est celle que ressent M. Jourdain devant ces bonheurs qu'il pensait jusqu'alors inaccessibles. Nous sommes dans l'illusion comme lui. Peut-être, simplement, le savons-nous un tout petit peu plus que lui.

Françoise Spiess, *Le Théâtre en coulisses*,
© Gallimard, 2001, p. 27.

1. Quel est l'état d'esprit de Françoise Spiess au moment d'assister pour la première fois aux répétitions du *Bourgeois gentilhomme* ? Comment cela se traduit-il dans son récit ?

2. Quels sont les différents métiers du théâtre que l'on retrouve ici ? Quel est le rôle de chacun ?

3. Le spectacle n'est pas encore prêt, mais le metteur en scène a déjà fait des choix : lesquels ? Quel sens ces derniers donnent-ils au spectacle ?

Suite des répétitions à la Comédie-Française : travail sur une scène

Françoise Spiess raconte à présent les répétitions de la scène 6 de l'acte III.

Dorante et M. Jourdain parlent en aparté, en présence de Nicole et de Mme Jourdain. L'entretien porte sur le repas offert à la marquise, dont les deux hommes sont amoureux. «C'est une scène d'exaspération, de tension, dit le metteur en scène. Le repas qui suit sera considéré comme un moment de détente, avant une scène d'une grande violence, celle où Mme Jourdain revient de chez sa sœur alors qu'on ne l'attend pas.»

Comment rendre cela ?

On essaie. On voit passer Mme Jourdain derrière les fenêtres, on entend ses pas, on sent sa présence.

Ou bien : elle fait les cent pas dans la fosse[1].

Finalement la solution retenue montre Dorante et M. Jourdain dans la fosse. Il faudra que Nicole se baisse pour les espionner… et recevoir une gifle !

La fosse apparaît comme un lieu secret, les deux hommes, dont on ne voit que le buste, deviennent deux marionnettes,

---

1. *Fosse* : espace situé devant la scène.

des conspirateurs un peu ridicules. Restent les problèmes techniques à résoudre : il faut surélever la fosse, il faut aussi prévoir la sortie des deux hommes par le dessous, ce qui rend le lieu de leur conversation encore plus mystérieux.

Françoise Spiess, *Le Théâtre en coulisses*,
© Gallimard, 2001, p. 55.

1. D'après ce texte, quelle est la fonction d'une répétition ?

2. Quelle impression le metteur en scène veut-il donner des personnages ? Quel choix fait-il pour y parvenir ?

3. Selon vous, Jean-Louis Benoit a-t-il fait de cette scène une scène purement comique ?

Un spectacle de marionnettes : le *Bourgeois* par la troupe de Philippe Car en 2009

En 2009, Philippe Car a monté avec sa troupe « Agence de voyages imaginaires » une adaptation du *Bourgeois gentilhomme*, qu'il a transformé en « comédie pour pantins, marionnettes, robots, acteurs et manipulateurs ». Dans le dossier de presse[1] du spectacle, il présente son travail et justifie ses choix.

Le personnage de Jourdain et les deux jeunes premiers[2] sont joués par des acteurs.

Mme Jourdain est jouée par une marionnette de mousse de taille humaine, manipulée par deux acteurs cagoulés.

Les maître de musique et de danse deviennent un seul personnage joué par une marionnette constituée d'une tête et de deux mains, manipulées par deux acteurs cagoulés.

---

1. *Dossier de presse* : ensemble de documents concernant le spectacle, destiné aux journalistes.

2. *Jeunes premiers* : rôles d'amoureux, c'est-à-dire Cléonte et Lucile.

Le maître d'armes est joué par une main et son avant-bras.

Le maître de philosophie est joué par une grande bouche et deux yeux manipulés par deux acteurs cagoulés.

Le maître tailleur est joué par une marionnette de technique marotte[1] dont le corps est constitué du costume du Bourgeois manipulé par deux acteurs cagoulés...

Les deux valets[2] sont joués par de petites marionnettes de chiffon et manipulés tour à tour par leurs maîtres, les deux jeunes premiers, et un acteur cagoulé.

La marquise est jouée par un mannequin articulé, à mécanique apparente, manipulée par un acteur cagoulé.

Dorante, le noble, est joué par... un robot, télécommandé par un acteur cagoulé !

Personnage inhumain par excellence, le robot-Dorante représente l'idéal de M. Jourdain, celui à qui il rêve de ressembler. [...]

Jourdain est montré homme marionnette manipulateur de pantins.

Pour Molière, M. Jourdain est le rôle le plus complet et le plus haut en couleur. Il chante, parodie, reproduit des jeux de physionomie, se déguise, pique des colères d'enfant, s'emporte contre tout et s'amuse de tout.

[...] Nouveau riche, parvenu, sympathique, ni odieux, ni méchant, ni hypocrite, il n'est que ridicule. Un ridicule énorme. Un incurable naïf. Et l'euphorie dans laquelle il baigne est communicative. Il ment pour embellir la réalité. Il rêve sa vie. C'est un artiste manqué qui souffre d'une

---

1. *Marionnette de technique marotte* : marionnette manipulée par le dessous, à l'aide d'un bâton ou de la main du comédien.
2. Covielle et Nicole.

insuffisance esthétique d'où il tire son ridicule. Il est ignare, sincère, et maladroit.

Chamarré[1], flamboyant, il est un magnifique Jourdain-citrouille. Un gros bouffon à figure de pivoine.

Texte extrait du dossier de presse du spectacle : www.voyagesimaginaires.fr
(avec l'aimable autorisation de l'Agence de Voyages Imaginaires).

1. Dans le spectacle de Philippe Car, distinguez les personnages qui sont joués par des acteurs, ceux qui le sont par des marionnettes et ceux qui le sont par des robots.

Personnages joués par un acteur...	... par une marion-nette	... par un robot

2. Ce choix de mise en scène est aussi une interprétation des personnages : comment le metteur en scène justifie-t-il son choix concernant Dorante ?

3. Selon vous, pourquoi Philippe Car a-t-il choisi de montrer les « Maîtres » en pantins manipulés par M. Jourdain ?

4. Pourquoi a-t-il choisi de faire des deux serviteurs des petites poupées de chiffon, manipulées par leur maître ?

5. Quel thème de la pièce font ressortir ces choix de mise en scène ?

6. Quels adjectifs Philippe Car emploie-t-il pour décrire M. Jourdain ? Êtes-vous d'accord avec le choix de ces adjectifs ?

---

1. *Chamarré* : vêtu de couleurs éclatantes.

Un personnage, trois mises en scène : le maître de philosophie

Observez le maître de philosophie dans les spectacles mis en scène par Jean-Louis Benoit (2000, p. 61), Benjamin Lazar (2004, p. 67) et Philippe Car (2009, p. 65) et comparez les trois interprétations du personnage.

1. Qui l'incarne ?

2. Comment est-il habillé ? maquillé ?

3. Sur la photo, quelle est sa position ?

4. Quels contrastes peut-on observer entre le maître de philosophie et M. Jourdain ?

Une scène, deux interprétations : la cérémonie turque

La cérémonie turque (acte IV) est l'intermède le plus connu du *Bourgeois gentilhomme*. À l'époque de Molière, l'Empire ottoman et la religion musulmane sont inconnus de la plupart des sujets de Louis XIV ; le dramaturge cherche à étonner ces derniers et à les faire rire en imaginant une cérémonie exotique, à la fois bien documentée (il a bénéficié des conseils du chevalier d'Arvieux, qui a longuement séjourné à la cour du Grand Turc) et très caricaturale. Pour le metteur en scène d'aujourd'hui, la représentation de ce passage clé du spectacle est source d'interrogation : comment adapter la cérémonie afin qu'elle procure au spectateur d'aujourd'hui le même effet de surprise comique ?

La cérémonie turque dans l'édition du livret de 1682

Pour se représenter la cérémonie turque telle qu'elle était jouée à l'époque de Molière, les metteurs en scène peuvent consulter la première édition des *Œuvres complètes* de Molière (1682), qui propose une version plus longue et surtout plus riche en didascalies de cette scène. Lors des représentations de la pièce devant le roi, c'est Lully lui-même qui interprétait le Mufti, alors que Molière jouait M. Jourdain.

Six Turcs dansant entre eux gravement deux à deux, au son de tous les instruments. Ils portent trois tapis fort longs, dont ils font plusieurs figures, et, à la fin de cette première cérémonie, ils les lèvent fort haut ; les Turcs musiciens, et autres joueurs d'instruments, passent par-dessous ; quatre Derviches qui accompagnent le Mufti ferment cette marche.

Alors les Turcs étendent les tapis par terre, et se mettent dessus à genoux ; le Mufti est debout au milieu, qui fait une invocation avec des contorsions et des grimaces, levant le menton, et remuant les mains contre sa tête, comme si c'était des ailes. Les Turcs se prosternent jusqu'à terre, chantant Alli, *puis se relèvent, chantant* Alla, *et continuant alternativement jusqu'à la fin de l'invocation ; puis ils se lèvent tous, chantant* Alla ekber.

Alors les Derviches amènent devant le Mufti le Bourgeois vêtu à la turque, sans turban, sans sabre, auquel il chante gravement ces paroles :

LE MUFTI

> *Se ti sabir*
> *Ti respondir ;*
> *Se non sabir,*
> *Tazir, tazir*
> *Mi star Mufti :*
> *Ti qui star ti ?*
> *Non intendir :*
> *Tazir, tazir*[1].

---

1. Voir p. 133.

Deux Derviches font retirer le Bourgeois. Le Mufti demande aux Turcs de quelle religion est le Bourgeois, et chante :

> *Dice, Turque, qui star quista,*
> *Anabatista, anabatista[1] ?*

Les Turcs *répondent*
Ioc[2].

Le Mufti
Zuinglista ?

Les Turcs
Ioc.

Le Mufti
Coffita ?

Les Turcs
Ioc.

Le Mufti
Hussita ? Morista ? Fronista ?

Les Turcs
Ioc. Ioc. Ioc.

Le Mufti *répète*
Ioc. Ioc. Ioc.
Star pagana ?

---

1. «Dis, Turc, qui être celui-là ?/ Anabaptiste ? Anabaptiste ?». « Anabaptiste» désigne ici un protestant.
2. «Non.»

LES TURCS

Ioc.

LE MUFTI

Luterana?

LES TURCS

Ioc.

LE MUFTI

Puritana?

LES TURCS

Ioc.

LE MUFTI

Bramina? Moffina? Zurina[1]?

LES TURCS

Ioc. Ioc. Ioc.

LE MUFTI *répète*

Ioc. Ioc. Ioc.
Mahametana? Mahametana?

LES TURCS

Hey valla. Hey valla[2].

---

1. *Zuinglista, Coffita, Hussita, Morista, Fronista, Luterana, Puritana, Bramina*… : «Zwinglien», «Copte», «Hussite», «Phroniste», «Luthérien», «Puritain», «Bramine»… – tous ces mots font référence à différents courants religieux.
2. *Mahametana? Mahametana? – Hey valla. Hey valla* : «Mahométan? Mahométan?» – « Oui, par Dieu. Oui, par Dieu».

LE MUFTI
Como chamara? Como chamara?

LES TURCS
Giourdina, Giourdina[1].

LE MUFTI
Giourdina.

LE MUFTI *sautant et regardant de côté et d'autre.*
Giourdina? Giourdina?
Giourdina?

LES TURCS *répètent*
Giourdina! Giourdina!
Giourdina!

LE MUFTI
Mahameta per Giourdina
Mi pregar sera é matina
Voler far un Paladina
Dé Giourdina, dé Giourdina.
Dar turbanta, é scarcina
Con galera é brigantina
Per deffender Palestina.
Mahameta per Giourdina[2], etc.

*Après quoi, le Mufti demande aux Turcs si le Bourgeois est ferme
dans la religion mahométane, et leur chante ces paroles :*

---

1. *Como chamara? Como chamara? – Giourdina, Giourdina* :
«Comment s'appelle-t-il? Comment s'appelle-t-il?» – «Jourdain, Jourdain».
2. Voir p. 134.

LE MUFTI

Star bon Turca Giourdina ? Bis.

LES TURCS

Hey valla. Hey valla. Bis.

LE MUFTI *chante et danse.*

Hu la ba ba la chou la ba ba la da.

Après que le Mufti s'est retiré, les Turcs dansent, et répètent ces mêmes paroles.

Hu la ba ba la chou la ba ba la da.

Le Mufti revient, avec son turban de cérémonie qui est d'une grosseur démesurée, garni de bougies allumées, à quatre ou cinq rangs.
Deux Derviches l'accompagnent, avec des bonnets pointus garnis aussi de bougies allumées, portant l'Alcoran[1] : les deux autres Derviches amènent le Bourgeois, qui est tout épouvanté de cette cérémonie, et le font mettre à genoux le dos tourné au Mufti, puis, le faisant incliner jusques à mettre ses mains par terre, ils lui mettent l'Alcoran sur le dos, le font servir de pupitre au Mufti, qui fait une invocation burlesque[2], fronçant le sourcil, et ouvrant la bouche, sans dire mot ; puis, parlant avec véhémence, tantôt radoucissant sa voix, tantôt la poussant d'un enthousiasme à faire trembler, en se poussant les côtes avec les mains comme pour faire sortir ses paroles, frappant quelquefois les mains sur l'Alcoran, et tournant les feuillets avec précipitation, et finit enfin en levant les bras, et criant à haute voix : Hou !

---

1. L'Alcoran : le Coran.
2. Burlesque : comique, car très exagérée.

Pendant cette invocation, les Turcs assistants chantent Hou, hou, hou, *s'inclinant à trois reprises, puis se relèvent de même à trois reprises, en chantant* Hou, hou, hou, *et continuant alternativement pendant toute l'invocation du Mufti.*

Après que l'invocation est finie, les Derviches ôtent l'Alcoran de dessus le dos du Bourgeois qui crie Ouf, *parce qu'il est las d'avoir été longtemps en cette posture, puis ils le relèvent.*

LE MUFTI *s'adressant au Bourgeois*
Ti non star furba ?

LES TURCS
No, no, no.

LE MUFTI
Non star furfanta ?

LES TURCS
No, no, no.

LE MUFTI
Donar turbanta, donar turbanta.

Et s'en va.
Les Turcs répètent tout ce que dit le Mufti, et donnent en dansant et en chantant le turban au Bourgeois.

LE MUFTI *revient*
et donne le sabre au Bourgeois
Ti star nobile, é non star fabbola.
Pigliar schiabola.

Puis il se retire.

Les Turcs répètent les mêmes mots, mettant tous le sabre à la main ;
et six d'entre eux dansent autour du Bourgeois auquel ils feignent
de donner plusieurs coups de sabre.

LE MUFTI *revient, et commande aux Turcs de bâtonner*
le Bourgeois, et chante ces paroles.
   Dara, dara, bastonara,
   Bastonara, bastonara.

Puis il se retire.
Les Turcs répètent les mêmes paroles, et donnent au Bourgeois
plusieurs coups de bâton en cadence.

LE MUFTI *revient et chante*
   Non tener honta :
Questa star l'ultima affronta.

Les Turcs répètent les mêmes vers.
Le Mufti, au son de tous les instruments, recommence une invoca-
tion, appuyé sur ses Derviches : après toutes les fatigues de cette
cérémonie, les derviches le soutiennent par-dessous les bras avec
respect, et tous les Turcs sautant dansant et chantant autour du
Mufti se retirent au son de plusieurs instruments à la turque.

1. Quels éléments rendent cette scène exotique ?
2. Quels moyens rendent cette scène burlesque ?

La version de la Comédie-Française de Jean-Louis Benoit (2000)

Françoise Spiess décrit la cérémonie turque telle que l'a imaginée Jean-Louis Benoit.

[…] Un coup de tonnerre, et le décor descend[1]. Un Dorante petit, gros, roublard[2] entre à jardin[3]. Panique des valets. Un ballet avec des lanternes se déploie entre les colonnes. M. Jourdain apparaît coiffé d'une perruque insensée. On assiste à son déshabillage et à son habillage. L'encens fume. Des représentants d'une secte inquiétante tournent autour de lui, comme pour accomplir un rite initiatique[4]. Une robe tombe des cintres[5], puis un turban emplumé, un tapis. On emporte M. Jourdain à bout de bras, puis on l'assoit et on le bastonne. On le chausse de ses babouches. Se déploie un ballet avec tous les acteurs, sur une musique grandiloquente et sirupeuse. M. Jourdain a l'air d'un grand enfant qui s'autorise enfin à jouer. Mme Jourdain arrive. Panique tout autour.

Françoise Spiess, *Le Théâtre en coulisses*,
© Gallimard, 2001, p. 57.

1. Dans le texte, quels sont les mots qui appartiennent au lexique spécifique du théâtre ?

2. Quels éléments du décor et quels accessoires soulignent l'exotisme de la scène ?

---

1. Des colonnes descendent sur la scène, et une toile représentant une porte de temple vient recouvrir le décor précédent.

2. *Roublard* : rusé.

3. *À jardin* : à gauche. Au théâtre, « jardin » désigne le côté gauche de la scène (du point de vue du spectateur), « cour » désigne le côté droit.

4. *Rite initiatique* : cérémonie destinée à admettre quelqu'un dans une religion.

5. *Cintres* : parties du théâtre situées au-dessus de la scène.

3. Jean-Louis Benoit n'a pas conservé la musique de Lully, mais a choisi une musique «grandiloquente et sirupeuse» : quelle musique choisiriez-vous pour la cérémonie turque ? Pourquoi ?

L'adaptation de Philippe Car (2009)

Philippe Car a décidé de récrire la scène de la «turquerie», qu'il rebaptise la scène de la grande «truquerie.» Il reste près du texte de Molière, mais réinvente le «sabir» imaginé par Covielle. Le début de la scène 1 de l'acte V, dans laquelle M. Jourdain rapporte à sa femme le spectacle auquel il vient d'assister, témoigne de cette récriture.

MME JOURDAIN. – Ah miséricorde ! Qu'est-ce que c'est que ce carnaval ? Parlez, dites quelque chose ! Qui vous a déguisé comme cela ?

M. JOURDAIN. – Voyez l'impertinente, de parler de la sorte à un *Matagotchi* !

MME JOURDAIN. – Comment ?

M. JOURDAIN. – Oui, vous devez me témoigner du respect, on vient de me faire *Matagotchi*.

MME JOURDAIN. – Que voulez-vous dire avec votre *Matagotchi* ?

M. JOURDAIN. – *Matagotchi*, vous dis-je. Je suis *Matagotchi*.

MME JOURDAIN. – Quelle bête est-ce là ?

M. JOURDAIN. – *Matagotchi*, c'est-à-dire, en notre langue, Chevalier.

MME JOURDAIN. – Chevalier ! Êtes-vous en âge de monter à cheval ?

M. JOURDAIN. – Quelle ignorante ! Chevalier, *Matagotchi* : c'est une dignité dont on vient de me faire la cérémonie.

MME JOURDAIN. – Quelle cérémonie ?

M. JOURDAIN. – *Kapishou Jiordina.*

MME JOURDAIN. – Qu'est-ce que cela veut dire ?

M. JOURDAIN. – *Jiordina*, c'est-à-dire Jourdain.

MME JOURDAIN. – Hé bien ! quoi, Jourdain ?

M. JOURDAIN. – *Kishi machigatta Jiordina.*

MME JOURDAIN. – Comment ?

M. JOURDAIN. – *Zubari gochisô konnichiwa.*

MME JOURDAIN. – Qu'est-ce que c'est ?

M. JOURDAIN. – *Dakedo, dakedo, kuyaka.*

MME JOURDAIN. – Qu'est-ce que ça veut dire ?

M. JOURDAIN *danse et chante*. – *Goshigoshi kushakusha. Goshigoshi kushakusha* (et tombe par terre).

MME JOURDAIN. – Hélas, mon Dieu ! mon mari est devenu fou.

M. JOURDAIN, *se relevant et s'en allant*. – Paix ! insolente, témoignez du respect au grand *Matagotchi*.

MME JOURDAIN. – Il a perdu l'esprit ! Empêchons-le de sortir. Ah ! Il ne manquait plus qu'eux.

Elle sort.

© Adaptation de Philippe Car et Yves Fravega ; reproduite dans le dossier du CRDP, académie d'Aix-Marseille, «Pièce (dé)montée», *Le Bourgeois gentilhomme*.

1. Comparez le texte de Philippe Car avec le texte de Molière, p. 137 à 139 : quel travail d'adaptation a été effectué ?

2. Regarder aussi la photo, p. 52 : par quel univers le metteur en scène a-t-il remplacé l'Empire ottoman ? Comment pouvez-vous expliquer ce choix ?

Achevé d'imprimer en Italie
par ✦ Grafica Veneta S.p.A.